Wat wij zagen

Wat wij zagen is een uitgave van Stichting Collectieve Propaganda van het Nederlandse Boek ter gelegenheid van de Boekenweek 2021.

HANNA BERVOETS

Wat wij zagen

Stichting Collectieve
Propaganda van het
Nederlandse Boek

Copyright © 2021 Hanna Bervoets
Uitgave Stichting CPNB
Redactie Uitgeverij Pluim
Omslagillustratie Leonie Bos naar een idee van Hanna Bervoets
Omslagontwerp Loudmouth
Foto auteur Klaas Hendrik Slump
Zetwerk Perfect Service
Druk- en bindwerk GGP Media GmbH

ISBN 978 90 5965 544 7
NUR 301

boekenweek.nl
hannabervoets.com
uitgeverijpluim.nl

 @Boekenweek
 @Boekenweek
 @boekenweeknl

#eenboekkanzoveeldoen

En wat zag je dan allemaal?

Ik krijg de vraag nog steeds belachelijk vaak, ook al is het alweer zestien maanden geleden dat ik wegging bij Hexa. Mensen blijven het gewoon proberen, en wanneer mijn antwoord niet aan hun verwachtingen voldoet – te vaag, niet choquerend genoeg – dan stellen ze hun vraag gewoon nog een keer maar net iets anders geformuleerd: 'Maar wat is nou het ergste wat je ooit hebt gezien?' vraagt Gregory, mijn nieuwe collega bij het museum. 'En wat moet ik me daar dan precies bij voorstellen?' – dat is mijn tante Meredith, die ik jarenlang alleen op mama's sterfdag zag, maar die plots de gewoonte heeft opgevat me elke eerste zondag van de maand even te bellen om te vragen hoe het met me gaat en o ja, wat ik dan precies allemaal zag. 'Kies anders één filmpje, één beeld of een tekst die je echt heeft geraakt' – hé, daar heb je dokter Ana: 'Vertel me eens wat je toen voelde en dacht? Maak er maar een filmpje van in je hoofd, ja, een filmpje van hoe je daar zit en dat vervelende filmpje ziet,' en dan komt dokter Ana met een of andere staaf waarin een lichtje op en neer schiet.

U doet hier dus ook aan mee, meneer Stitic. U belt me nu bijna elke dag: 'Neemt u even contact met mij op, mevrouw Kayleigh' – weet u eigenlijk wel dat Kayleigh mijn voornaam is? Nee, hè? U heeft mijn gegevens natuurlijk van mijn oud-collega's en die kennen mijn achternaam niet dus nu zegt u: nou, mevrouw Kayleigh, en wat zag u dan allemaal?

Mensen doen of het een heel normale vraag is maar hoe normaal is een vraag waar je een gruwelijk antwoord op verwacht? Het is ook niet zo dat het die mensen ooit om mij gaat. Misschien is dat niet gek, misschien komen vragen nooit voort uit interesse in een ander, eerder uit nieuwsgierigheid naar de levens die we zelf zijn misgelopen ('Goh, meneer Stitic, is dat nou leuk, civiel recht?') – maar bij zo'n Gregory of tante Meredith en zelfs bij dokter Ana bespeur ik een zekere sensatiezucht, een behoefte die tot vragen aanzet maar nooit helemaal kan worden bevredigd.

Ik zag een meisje live met een veel te bot zakmes in haar eigen arm steken, ze moest flink doorduwen voor het een beetje ging bloeden. Ik zag een man zijn herdershond trappen, zo hard dat het dier piepend tegen de koelkast klapte. Ik zag kinderen elkaar uitdagen een onverantwoord grote hap kaneel te nemen. Ik las mensen Hitlers kwaliteiten aanprijzen bij hun buren, collega's en vage kennissen, gewoon, open en bloot, zichtbaar voor potentiële partners en werkgevers: 'Hitler had zijn werk af moeten maken' bij een foto van een stel immigranten in een bootje.

Allemaal flauwe voorbeelden, dat weet u ook, hè? Die dingen hebben allemaal al in de kranten gestaan, opgetekend uit de monden van andere oud-moderatoren, wat overigens niet betekent dat ik ze niet ook ben tegengekomen: de Hitlergroeten, de zielige honden, het meisje met de mesjes is zelfs een klassieker. Er zijn er duizenden van, in elke straat één, zo stel ik me voor: dat huis waar 's nachts het badkamerlicht brandt, daar zit ze in haar eentje op de harde, koude grond. Maar dat is dus niet wat mensen willen horen. Ze willen dat ik iets niéuws beschrijf, dingen die ze zelf nooit zouden durven bekijken, dingen die hun voorstellingsvermogen ver te boven gaan, en dus vraagt Gregory: 'Maar wat is nou het érgste wat je ooit hebt gezien?' en niet: 'Hoe gaat het nu met dat meisje, heb je haar kunnen helpen, misschien?' God, nee, mensen hebben geen idee wat mijn vorige baan daadwerkelijk inhield, en dat komt ook door u, meneer Stitic. Na al het nieuws over de rechtszaak die u met mijn oud-collega's aanspant denken de mensen dat wij willoos achter onze schermen zaten, dat we niet wisten wat we deden, geen idee hadden waaraan we waren begonnen, geheel onvoorbereid duizenden choquerende beelden op ons afgevuurd kregen die de draden in onze hoofden vrijwel meteen deden doorbranden – nou, zo was het dus niet. Althans, zo was het niet helemaal, en niet voor iedereen.

Ik wist waar ik aan begon. Ik wist wat ik deed en ik was er nogal goed in. Ik ken de regels van toen nog allemaal en pas ze ook nog wel eens toe, dat gaat automatisch, beroepsdeformatie, ik doe het bij series, videoclips, of gewoon, bij dingen die ik om me heen zie: die vrouw die daar van haar scootmobiel wordt gereden, mag dat online? Niet als je bloed ziet. Wel als de situatie overduidelijk komisch is. Niet als er sadisme in het spel is. Wel als het getoonde een educatieve waarde heeft, en bingo, hé, dat heeft het: educatieve waarde, die oprit naar de parkeerplaats voor het museum is een chaos namelijk – 'Daar moet echt iets aan gedaan worden', als ik dat erbij typ mag het – kijk, dát denk ik dus terwijl ik vier kaartjes afscheur. En nee, het is niet altijd prettig dat die regels maar door mijn hoofd blijven spoken maar weet u: ergens ben ik er dus nog steeds trots op hoe goed ik de richtlijnen kende – dat is alleen niet wat u wilt dat ik vertel, of wel?

Ik heb geen van uw mails beantwoord. Ik heb u ook nooit teruggebeld en dacht dat u het daarmee wel begrepen zou hebben. Ik wil niet met u praten. Ik wil mij niet bij de andere dagers aansluiten. *Ik wil geen onderdeel zijn van jullie rechtszaak.* Maar u blijft mij maar bellen en aandringen en vandaag kreeg ik uw tweede brief (sierlijk handschrift heeft u, meneer Stitic).

Denk niet dat ik het niet begrijp. U bent advocaat, het is uw taak te blijven aandringen en u beheerst uw overredingstechnieken aardig: ik merk heus wel dat u met elk spraakbericht een iets amicalere toon aanslaat. U weet dat ik luister, u weet dat ik aan uw stem wen en dus zegt u niet langer 'u, mevrouw Kayleigh', maar heeft u het over 'je' en praat u plots van een 'prettig geldbedrag in het vooruitzicht' en om eerlijk te zijn vind ik het nogal griezelig dat u weet hoe goed ik een prettig geldbedrag gebruiken kan; mijn oud-collega's zullen u wel over mijn schulden verteld hebben en ik vraag me af of dat in lijn is met algemeen geldende privacyregels maar hé, dat weet u vast beter dan ik.

Nog twee jaar bij het museum en dan heb ik alles afbetaald. Dat wil zeggen, als ik ook tijdens de beter betaalde feestdagen werk, dus nu maar hopen dat ik ook met Pasen en tweede kerstdag word ingeroosterd, want nee, ik doe écht niet met u mee, al begrijp ik best dat mijn oud-collega's dat wel doen.

Ik las dat Robert tegenwoordig met zijn taser slaapt, bang dat terroristen hem komen halen 's avonds (de namen in dat krantenartikel waren veranderd maar ik weet wel zeker dat 'Timothy' Robert is). Dat 'Nataly' niet tegen harde geluiden, fel licht of onverwachte bewegingen aan de randen van haar blikveld kan (daar hadden meer werknemers last van, dus wie Nataly is weet ik niet). Ik weet dat veel van mijn voormalig collega's wegduiken zodra er iemand achter ze komt staan in de supermarkt, dat ze overdag in bed liggen tot het donker wordt en dan wakker blijven tot het licht is; veel te moe om aan een nieuwe baan te beginnen zien ze dag en nacht dingen waar ook ik niet graag over praat en een deel van die klachten is mij niet bepaald vreemd, helaas. En ja, net als veel van mijn ex-collega's ben ik zelf opgestapt bij Hexa, dus nogmaals, ik snap waarom u nu bij mij aanklopt.

Maar om te begrijpen waarom ik niet op uw verzoek inga moet u eerst iets van mij weten. De beelden die mij 's nachts wakker houden, meneer Stitic, zijn niet de afschuwelijke foto's van bloedende tieners en blote kinderen, niet de filmpjes van steekpartijen of onthoofdingen. Nee, de beelden die mij uit mijn slaap houden zijn beelden van Sigrid, mijn dierbaarste voormalig collega. Sigrid hangt tegen de muur, slap en naar adem happend – dat zijn dus de beelden die ík graag wil vergeten.

Ik schrijf u dan ook met een voorstel. Zie het als een deal, een schikking. Ik vertel u over mijn maanden bij Hexa, over mijn werkzaamheden, de regels, de berucht erbarmelijke werkomstandigheden; dingen, kortom, die u ongetwijfeld interesseren.

Daarna zal ik u uitleggen waarom ik bij Hexa ben weggegaan. Ik heb dat nooit aan iemand verteld maar ik zal eerlijk zijn, gewoon eerlijk, helemaal. U zult dan vanzelf begrijpen waarom ik geen cliënt van u word, meneer Stitic, sterker nog, u zult mij waarschijnlijk niet eens meer willen bijstaan.

Uw wederdienst aan mij is dat u uw mond houdt, en mij voorgoed met rust laat. Geen mails, geen telefoontjes, u staat straks niet bij mij op de stoep; als mijn oud-collega's ernaar vragen zegt u maar gewoon dat ik verhuisd ben naar het buitenland, verzin maar iets, dat kunt u vast heel goed.

Let wel: mijn schrijven is geen officiële getuigenis. De

9

naam van de beklaagde zal ik nergens noemen, u weet dat ik contractbreuk pleeg wanneer ik dat wel doe; ik heb me laten informeren, ik ken mijn rechtspositie, dus nogmaals: ik beschuldig niets of niemand ergens van. Ik vertel u slechts, voor één keer, mijn verhaal.

De lichting van oktober bestond uit negentien personen. Voor we begonnen volgden we een verplichte training en van die week herinner ik me vooral Alice, een blonde vrouw op krukken die misschien wel dertig jaar scheelde met de meesten van ons. In een rookpauze vertelde Alice dat ze hiervoor sociaalpedagogisch hulpverlener geweest was. Wat doet die hier nou, weet ik nog dat ik dacht. (Later vertelde Sigrid me dat zij dat dus juist over míj had gedacht: wat doet díé hier nou, die Kayleigh. Ik viel haar meteen op, zei ze, ze vond me intrigerend, met m'n korte haar en verkreukelde NOFX-T-shirt, ik zag eruit of het me niets kon schelen wat anderen van me dachten en dat vond ze uitermate sexy.) Wanneer ik die week langs mijn scherm gluurde dan keek ik naar Alice, die altijd uiterst geconcentreerd bezig leek, haar krukken schuin tegen haar desk gezet. In de pauzes ging ik meestal bij haar staan, ze had mijn moeder kunnen zijn en ik voelde me op een vreemde, niet per se erotische manier tot haar aangetrokken. Alice zei weinig, ze liet zich lastig peilen, maar toen ik deze vrouw op dag drie hoorde zeggen dat ze kauwgumkauwers goor vond – 'het is de structuur, zo'n stuk snot in iemands mond' – slikte ik meteen m'n Stimorol door.

Tegen de anderen uit onze lichting praatte ik niet. Ik was hier niet om vrienden te maken, zei ik tegen mezelf, want was dát niet hoe het bij mijn vorige baan was misgegaan? Door mijn, laten we zeggen, 'amicaliteit' zat ik nu met een geblokkeerde creditcard. Dat ik bij Hexa solliciteerde was voornamelijk omdat hun uurloon twintig procent hoger lag dan bij het callcenter waar ik vandaan kwam. De vacature vermeldde verder overigens weinig, naast een salarisindicatie bood het berichtje slechts een summiere functieomschrijving: Hexa zocht 'kwaliteitsmedewerkers'– ik moest opzoeken wat dat inhield maar voor die twintig procent meer salaris had ik net zo goed vuilnis opgehaald. Tijdens het verder weinig diepgravende sollicitatiegesprek kreeg ik te horen dat Hexa maar een onderaannemer was. Eigenlijk zou ik 'content evalueren' voor een groot en machtig technologiebedrijf waarvan ik, zeiden ze me al voor ik ook maar een contract had aangeraakt, nóóit de naam zou mogen noemen. Ik ontdekte al snel dat dit platform, uw gedaagde, al onze regels, werktijden en richtlijnen bepaalde. En alle berichten, foto's en filmpjes die wij zouden beoordelen waren aangemerkt als 'aanstootgevend' door gebruikers of bots van dit specifieke platform en dochterbedrijven. Wij, de buitengewoon brave lichting van oktober, deden de eerste dag van onze trainingsweek ons uiterste best die eigenlijke werkgever niet te noemen, tot we ontdekten dat onze trainers, een jongen en een meisje die, vertelden ze, zelf ook als moderator begonnen waren, en daarmee al dan niet expres suggereerden dat zo'n promotie voor ons allen binnen de mogelijkheden lag (een motiverend vooruitzicht dat maakte dat sommigen uit onze lichting, denk ik, langer bij Hexa bleven dan goed voor ze was), de naam van het platform vrijelijk gebruikten. Het platform vindt dit, zeiden ze, van het platform mag dat, en zo begrepen we al snel dat we vooral naar de buitenwereld toe zouden moeten zwijgen. Hier, in de kantoorflat waar Hexa gevestigd zat, veilig weggestopt op een bedrijventerrein met bushalte, waren wij onder gelijken, broeders binnen een geheim genootschap. Deze training was een doop, een ontgroening die moest uitwijzen of we inderdaad geschikt waren om toe te treden. Althans, dat is wat ik toen dacht.

We kregen twee readers, die eerste dag. Een met de gebruiksvoorwaarden van het platform en een met de richtlijnen voor moderatoren. Dat die richtlijnen om de paar dagen zouden veranderen en het boekwerk dat wij kregen op dat moment eigenlijk alweer verouderd was, wisten we toen nog niet. De readers mochten niet mee naar huis dus we leerden door te doen. De eerste trainingsdag verschenen er geschreven berichten op onze schermen, daarna ook foto's, filmpjes en livevideo's vanaf dag drie. Steeds weer was de vraag: mag dit op het platform blijven staan? En zo niet: waarom niet? Dat laatste was nog de lastigste kwestie. Een tekst als *Alle moslims zijn terroristen* mag niet van het platform, want moslims zijn een BC, een 'beschermde categorie', net als vrouwen, homo's en, geloof het of niet, meneer Stitic: heteroseksuelen. *Alle terroristen zijn moslim* mag dan weer wel, want terroristen zijn geen BC en moslim is geen beledigende term, bovendien. Een filmpje van iemand die zijn kat uit het raam gooit mag alleen wanneer wreedheid geen motief is, een foto van iemand die zijn kat uit het raam gooit mag altijd, een filmpje van zoenende mensen in bed mag zolang we geen geslachtsdelen of vrouwelijke tepels zien, mannelijke tepels zijn te allen tijde toegestaan. Een handgetekende penis in vagina mag, digitaal getekende vulva's mogen niet, een naakt kind mag alleen worden getoond wanneer het beeld een nieuwsfeit vertegenwoordigt, tenzij het gaat om de Holocaust; foto's van minderjarige Holocaustslachtoffers zonder kleren zijn verboden. Een foto van een revolver valt binnen de richtlijnen, maar niet als die revolver te koop wordt aangeboden. Een pedofiel doodwensen mag, een politicus doodwensen mag niet, een filmpje van iemand die zich vol overtuiging opblaast in een kleuterklas moet worden verwijderd, en wel op grond van terroristische propaganda, niet op grond van geweld dan wel kindermishandeling. Selecteerden we de verkeerde categorie, dan gold de beoordeling als foutief, of het bericht nu terecht was verwijderd of niet. We beoordeelden tweehonderd berichten per dag die week (inderdaad, toen we eenmaal waren aangenomen werden dat er wel wat meer) en aan het eind van elke trainingsdag kregen we onze accuraatheidsscores te zien. Hexa streefde naar een juistheidspercentage van zevenennegentig procent en aanvankelijk baalde ik wanneer ik niet boven de vijfentachtig procent uit kwam. Tot ik op het scherm van Kyo begon te spieken. Kyo, misschien wel tien jaar jonger dan ik – de ballpointkrabbels op zijn rugtas verraadden dat hij waarschijnlijk nog maar net van de middelbare school kwam –, zat vaak naast me en zijn score lag nooit boven de vijfenzeventig procent. Dat was enigszins bemoedigend. Maar toen Alice me op onze vierde dag bij de bushalte vertelde dat zij maar liefst achtennegentig procent van haar 'tickets' juist had beoordeeld besloot ik die avond mijn biertje eens te laten staan, kijken of ik de volgende dag dan hoger zou uitkomen.

Hoe Sigrid het er die dagen vanaf bracht, weet ik niet. Als u me vraagt wanneer ik haar voor het eerst écht opmerkte, dan zou ik zeggen: op de laatste dag van onze training, tijdens ons 'examen'. Het was een vrij vreemde oefening vond ik, een soort mondeling, maar dan ten overstaan van de hele lichting. Een voor een werden we naar voren geroepen. Dan bekeken we met z'n allen een filmpje of foto en moest degene met de beurt vertellen waarom het bericht wel of niet binnen de richtlijnen viel. Alice kreeg beelden van een baby die door een volwassen vrouw op een zandweg werd gelegd om door twee jongens te worden gestenigd; ze stond daar doodrustig in haar ruime spijkerjas, leunend op één kruk slaagde ze vrij glansrijk: 'Kindermishandeling, subcategorie gewelddadige dood, misschien, echter geen verheerlijking in bijschrift, laten staan dus, maar aanvinken als verontrustend.' Ook Sigrid deed het goed, maar wat me vooral opviel was hoe ze daar stond. Waar de anderen hun zinnen ietwat vragend formuleerden maar verder niet heel anders praatten dan ze normaal deden, kwam Sigrid zelfverzekerd voor ons staan, haar handen in elkaar gevouwen als een butler die de gasten van zijn landheer verwelkomt. 'Wat we hier zien,' zei ze luid en helder articulerend, 'is een geval van seksuele content waarbij op drie minuut vier een vrouwentepel in beeld is. De areola is duidelijk zichtbaar, wat maakt dat dit bericht moet worden verwijderd op grond van de categorie vrouwelijk naakt, al is er, gelet op het bijschrift "Ik hoop dat het pijn doet", tevens sprake van sadisme: beide aanleidingen voor verwijdering zijn correct, lijkt me.'

Het had iets buitengewoon komisch hoe Sigrid tegen ons sprak, glimlachend, ons een voor een even aankijkend. Alsof ze een grap maakte, de richtlijnen parodieerde – ik geloof dat onze trainers ook even twijfelden of Sigrid haar opdracht wel serieus nam. Maar haar antwoord was juist en de manier waarop ze reageerde toen ze haar zeiden dat ze geslaagd was – Sigrid lachte en knikte een paar keer achter elkaar, alsof ze zichzelf er nog van moest overtuigen dat ze het goed had gedaan – verraadde dat het haar dus wel degelijk menens was geweest. Dit was haar manier van presenteren, en toen ze me weken later achter de kluisjes vertelde dat ze een verleden in de horeca had viel die eindpresentatie alsnog op z'n plaats. (Tegen die tijd had ik haar overigens niet durven vragen waarom ze de horeca eigenlijk had verlaten, ik wilde haar niet op ideeën brengen – ja, wat deed ze hier eigenlijk nog als ze ook biertjes kon tappen?)

Mocht het u interesseren: mijn eigen presentatie ging minder goed dan ik had verwacht. Ik kreeg een filmpje van een man met een brandende arm, het vuur leek zich uit te breiden naar zijn rug maar het fragment was kort en de context vaag. Ik liet het filmpje opnieuw afspelen in de hoop dat ik zou kunnen zien hóé die arm vlam vatte, maar nee hoor. Keek ik naar een geweldsdelict, een ongeluk, een grap of een politiek statement? – in dat laatste geval moesten de beelden sowieso blijven staan en betekende onterecht verwijderen inbreuk op de vrijheid van meningsuiting. Ik moest de trainer vragen het filmpje voor een derde keer aan te zetten en dit keer liet ik het geluid op vol volume klikken; dat bleek de juiste zet, iedereen kon de man nu horen krijsen, hoog en schel als een meisje, een geluid dat ik nooit meer zou vergeten maar daar was ik op dat moment niet mee bezig. Nee, daar, ten overstaan van de hele lichting, baalde ik vooral dat ik niet eerder begrepen had waarmee we hier te maken hadden. Mijn frustratie werd een heel klein beetje weggenomen toen een meisje tijdens haar opdracht – een filmpje van een man die een boxer neukte – de examenkamer verliet om pas tien minuten later met rode ogen terug te komen. Uiteindelijk werden we overigens allemaal aangenomen, ook het meisje dat was weggelopen.

Alleen Alice bedankte voor de baan. En het kan zijn dat mijn herinneringen zijn aangetast maar ik geloof echt dat dát die week mijn grootste tegenslag was.

Goed. En dan nu wat dingen die u vast graag wilt horen, meneer Stitic – zit u klaar? Om te beginnen: alles wat mijn oud-collega's over onze slechte werkomstandigheden vertellen is waar. Hadden we maar twee pauzes waarvan één van krap zeven minuten, die wegtikten in de rij voor de slechts twee beschikbare toiletten? Zeker weten. Werden we erop aangesproken wanneer we minder dan vijfhonderd tickets per dag afhandelden? Reken maar. Kregen we een serieuze waarschuwing zodra onze accuraatheidsscore onder de negentig procent uitkwam? Ja hoor. Ontslag wanneer iemand regelmatig te lage scores haalde? Ik ken verhalen. En een timer die aansloeg zodra we onze desk verlieten, al was het maar om even onze benen te strekken? Zo ging dat bij Hexa.

Maar wat u natuurlijk vooral wilt weten: hoe stond het precies met de mentale begeleiding? Nou, ook wat dat betreft kan ik mijn oud-collega's bijvallen, van psychische hulp op het werk heb ik nauwelijks iets gemerkt. Eén keer is er een coach naar ons toe gekomen, een korte jongen met dikke wenkbrauwen die wel eens op de gang rondscharrelde en die Sigrid en ik Super Mario waren gaan noemen, nadat we hem een keer in een blauwe tuinbroek bij de bushalte hadden zien staan. Ik had altijd gedacht dat hij van de technische dienst was, maar nu bleek die jongen een of andere cursus te hebben gedaan.

'Is er misschien iets wat jullie kwijt willen?' vroeg hij ons op een dag. Dat was vlak na wat gedoe met Robert, zelf werkte ik toen al een paar maanden bij Hexa; ik weet niet of ze het u verteld hebben maar Robert was, zo noemde Super Mario het geloof ik, 'een beetje overwerkt geraakt'. Ik zag het meteen toen hij die ochtend binnenkwam. Normaal gaat iemand die de vloer op loopt gauw op zoek naar een vrije desk, het liefst een zonder al te veel plakkerige plekken, bij voorkeur naast een raam. Maar Robert keek niet naar de desks bij het raam, hij keek überhaupt niet omlaag want hij zocht geen vrije plek, hij zocht Jaymie, een van onze 'onderwerpexperts'. Onderwerpexperts, ook wel 'OE's', moesten ons werk beoordelen, op basis van steekproeven bepaalden zij onze scores. Hoewel ze in feite onze meerderen waren zaten ze gewoon tussen de moderatoren. Kijk, ik heb dat dus altijd vreemd gevonden. Als ik Hexa was had ik die OE's lekker ergens anders neergezet, op een verdieping met kogelwerende schuifdeuren bijvoorbeeld, want nu kreeg je dus dat goedbedoelende jongens als Robert goedbedoelende jongens als Jaymie op zomaar een woensdagochtend een taser in de rug konden zetten. Ik weet niet eens meer zeker waar het nou om ging. Robert had een bericht verwijderd waarin iemand met de dood bedreigd werd, maar Jaymie vond dat onterecht omdat de bedreiging tegen een publiek persoon gericht was, en publieke personen zijn geen beschermde categorie, tenzij het gaat om activisten of politici – of misschien was het andersom, misschien had Robert het bericht juist laten staan maar vond Jaymie dat het niet om een publiek persoon ging maar om een activist. Hoe dan ook, Jaymie had Roberts beoordeling negatief beoordeeld en dat was niet de eerste keer, Roberts score schommelde al een tijdje rond de tachtig procent, geloof ik. En nu leek het Robert dus een goed idee Jaymie met een stroomstootwapen te bedreigen om zo zijn score weer omhoog te krijgen – over verkeerde beoordelingen gesproken.

Dit is misschien ook waardevolle informatie voor u: er waren op onze verdieping geen beveiligers. Dus Robert stond daar maar, met die taser tussen Jaymies schouderbladen. En Jaymie bewoog niet, zei hooguit iets als 'rustig blijven', en ondertussen keek iedereen naar ze, dus Robert werd rood en Jaymie kreeg vlekken in zijn nek, alsof ze waren betrapt tijdens een of andere seksuele escapade, het gordijntje voor hun bedstede weggetrokken en daar lagen ze dan. 'Fuck dit,' zei Robert uiteindelijk. 'Fuck you, Jaymie, ik ben weg!'

Daarna hebben we Robert een dag of vier niet gezien, maar de week daarop zat hij er gewoon weer, zij het met zijn capuchon op, maar niemand vroeg hem dat ding af te doen. Iedereen wist wat er gebeurd was, ook de mensen die er niet bij waren geweest, en toch had Robert het lef om terug te komen, om toe te geven: ik kan niet zonder Hexa, ik kan niet zonder Jaymie, ik heb deze baan gewoon nodig, en weet u, dat vond ik ronduit groots van hem.

En nu wilt u natuurlijk weten of Robert in die dagen een gesprek met Super Mario is aangeboden, maar het spijt me, dat kan ik niet met zekerheid zeggen. Ik weet alleen dat die jongen de dag na Roberts uitbarsting audiëntie in een kamer één verdieping boven ons hield, hij had zijn eigen waterkoeler en er stond een doos tissues op tafel – jezus, zo gaat het dus echt, weet ik nog dat ik dacht: een kamer met een doos tissues op tafel. We zaten daar met dertig man in een kring, ongeveer de helft van de moderatoren die dienst hadden op de ochtend dat Robert doordraaide. Zelf kende ik alleen Kyo en Souhaim, die net als Robert vrienden van me waren geworden.

Ik heb die hele sessie niets gezegd. Want ik begréép Robert. Onze accuraatheidsscores waren belangrijk, ze waren waar we het voor deden, en als mijn eigen ratings constant laag waren gebleven dan zou ik ook gefrustreerd zijn geraakt. 'Ik heb niet echt iets te vertellen,' zei ik daarom maar, en ik had al bijna zin om te vertrekken, maar toen zei Mario: 'Ik kan me voorstellen dat je wel eens iets naars gezien hebt.'

Ik maak geen grap, hè? Dat zei hij echt, *ik kan me voorstellen dat je wel eens iets naars gezien hebt.* Ik keek naar

Kyo, die gedachteloos zat te knikken, en naar Souhaim, met wie ik een blik wisselde, hij trok subtiel een wenkbrauw op. Het was gewoon aanmatigend, die opmerking van Mario – deze jongen solliciteerde naar mijn vertrouwen maar leek volkomen onvoorbereid op het gesprek verschenen, dus nee, hem ging ik dus mooi niets geven. Nog voor het einde van de sessie ben ik opgestaan en teruggegaan naar m'n desk, waar ik de rest van de middag heb zitten balen omdat ik door het oponthoud m'n targets voor die dag niet meer zou halen. Daarna hebben mijn collega's en ik Mario nooit meer gezien; nogal onverantwoord allemaal, als u het mij vraagt.

Ik hoop dat u van al het bovenstaande notities heeft gemaakt.

'Maar hoe hield je het in godsnaam vol onder die omstandigheden?' Dat wilde mijn tante Meredith weten toen de eerste krantenartikelen over ons werk verschenen. Ik kan me voorstellen dat u het zich ook afvraagt. Dus goed, voor ik verder ga, twee redenen.

Eén: ik was wel wat gewend tegen de tijd dat ik bij Hexa begon. Zoals ik u al zei werkte ik daarvoor in een callcenter, ik was 'klantenserviceassistent' voor een bedrijf dat was ingehuurd door een grote meubelfabrikant die z'n spullen uit China of weet ik waar liet komen, dus hun pink velvet sofa en die retro bijzettafel messing raakten minstens vier keer zoek in internationale distributiecentra voor ze bij de klant aankwamen. In de tussentijd belden die klanten mij, de hele dag door; ik had misschien iets langere pauzes dan bij Hexa maar kreeg een stuk minder betaald, en ook in het callcenter ging een timer lopen zodra ik opstond, en ook dáár moest ik bepaalde targets halen, idealiter vijftien telefoontjes per uur maar dan wel met een achtenhalf als gemiddelde klanttevredenheidsscore: probeer dat maar eens te halen wanneer iemand maar blijft hameren op de rechtsgeldigheid van de leverbeloftes op de website, en hoe ze die tafellamp opaalglas aan haar dochter had willen geven voor haar verjaardag, dat hele partijtje was verpest omdat haar cadeau er niet was. Als het slagen van een verjaardag van een tafellamp opaalglas afhangt dan zit er iets niet helemaal goed, denk je dan, maar dat zeg je niet, nee, de hele dag houd je je in want wanneer je per ongeluk iets zinnigs terugzegt – 'Maar mevrouw, is dat nou echt zo erg?' – dan beginnen ze te schreeuwen, ja, van de vijftien bellers beginnen er minstens vier tegen je te schreeuwen en je van alles toe te wensen, ze zeggen dat je een kutwijf bent en dan vragen ze om je manager: *je manager*, je weet niet eens of er een manager is, je kent alleen Gerry van beneden en de vrouw van het sollicitatiegesprek maar die heeft hier natuurlijk helemaal geen zin in, en terwijl je de klant uitlegt waarom je haar niet even naar de manager kan doorschakelen bid je dat ze haast heeft, dat haar woede is aangewakkerd door de stress over alle boodschappen dan wel kinderen die ze nog moet ophalen en dat ze ophangt voor de van tevoren opgenomen vrouwenstem haar naar haar klanttevredenheid kan vragen, maar helaas: het zijn natuurlijk altijd juist de klagers die een beoordeling achterlaten en terwijl jij je klanttevredenheidsscores in gedachten een vrije val ziet maken begint de collega tegenover je te huilen omdat ze voor weet jij veel wat wordt uitgescholden, dat meisje zit daar allerlei grimassen te trekken om het geluid binnen te houden en ondertussen kijk jij recht in een mond vol speekseldraden.

Lang verhaal kort: mijn eerste dagen bij Hexa waren een verademing. Wat heerlijk, dacht ik, wat ongelooflijk prettig dat er niemand tegen me schreeuwt. En ja, in de berichten die ik moest beoordelen stonden soms de vreselijkste verwensingen. Maar die verwensingen waren tenminste niet tegen mij gericht.

'Maar hoe hield je het in godsnaam vol onder die omstandigheden?'

Vooruit, reden twee dan: ik was er mijn eerste werkdagen niet helemaal bij met mijn hoofd. Ik was met andere dingen bezig en mijn werk bood welkome afleiding, al had ik toen nog maar weinig contact met andere collega's, en tegen de tijd dat ik me goed ging realiseren hoe shit onze werkomstandigheden eigenlijk waren was ik al min of meer aan die omstandigheden gewend geraakt – klinkt raar, hè? Laat me het nog iets beter uitleggen. Wilt u begrijpen waarom ik zo lang ben gebleven, dan moet u eerst weten hoe en waarom ik precies begon.

Mijn eerste echte werkdag bij Hexa was een dinsdag. Ik zou eigenlijk starten op maandag maar Yena kon die week alleen maandagmiddag om drie uur wat met me drinken en dus ruilde ik die eerste dienst nog voor ik goed en wel begonnen was; ik vond het een wonder dat ze me niet meteen wegstuurden. Yena was mijn ex-vriendin. We hadden elkaar leren kennen in het callcenter (ik zei u toch dat ik daar veel te amicaal geweest was?) en waren precies één jaar samen geweest, waarvan we elf maanden samenwoonden in het huis dat ik van mijn moeder geërfd heb.

'Jij hebt vast al heel wat meisjes gehad, hè,' zei Yena de allereerste keer dat ze bij mij sliep. We lagen in wat ooit mijn tienerkamer geweest was, jaren geleden alweer had ik de Green Day-posters en foto's van skateboarders weggehaald, opgerold en er een kusje op gegeven voor ze in de lade van het nieuwe tweepersoonsbed verdwenen en daar, in dat eigenlijk net iets te pooierige hemelbed, maakte ik nu de fout alleen maar wat te grijnzen bij Yena's opmerking over heel wat meisjes. 'Ja, dus!' zei ze, en omdat we allebei lachten dacht ik dat het wel goed zat. Ik had helemaal niet veel meisjes gehad. Maar ik dacht: ik laat het haar denken, dat maakt me vast aantrekkelijker.

De waarheid was dat ik vóór Yena slechts één lange relatie had gehad. Barbra was vijftien jaar ouder, we ontmoetten elkaar toen ik zeventien was en mijn moeder net voor de tweede keer in het ziekenhuis lag – de psychologische duiding laat ik aan u, meneer Stitic. Tegen de tijd dat mijn moeder overleed woonde ik al bij Barbra. Het ouderlijk huis, dat nu van mij was daar mijn vader een paar jaar daarvoor voorgoed de oprit was afgereden, verhuurde ik aan een stel studenten, tot Barbra me zes jaar later vroeg wat ik ervan zou vinden als haar nieuwe vlam Lilian, een masseuse van net twintig, bij ons zou intrekken. Ons afscheid was liefdevol, ik kan niet anders zeggen. We lieten ons scheiden als twee taarthelften, het mes sneed ons precies maar voorzichtig van elkaar op- dat er geen marsepeinen roosjes werden geraakt. Barbra hielp me mijn huurders op een nette manier uit het huis van mijn moeder zetten, en toen ik de rolkoffers inpakte die zij speciaal voor me gekocht had – ze wilde niet dat ik zou sjouwen met dozen of vuilniszakken – merkte ik dat ik vooral opgelucht was: diep vanbinnen had ik altijd geweten dat ik de vrouw die zoveel voor me gedaan had nooit zelf zou durven verlaten.

Ik voelde me vrij, die eerste dagen alleen in het huis waar ik had leren praten en gitaarspelen. Ik deed de din- gen die nooit hadden gemogen toen ik er nog woonde, liet de vuilniszakken opstapelen op de veranda en ont- beet, lunchte en dineerde met pizzabroodjes – alsof ik het huis wilde vertellen dat het nu van mij was, ík was het baasje, vanaf nu zou ík de regels bepalen. Dagenlang heb ik liggen gamen, in mijn eentje op bed of op de bank met Mehran, die toen nog mijn beste vriend was. Maar toen begaf de koelkast het. De grasmaaier stond al een tijdje kapot in de schuur, het gras kwam tot de veranda. De wasmachine lekte ondertussen zo erg dat de badka- mer bij elke wasbeurt blank kwam te staan, ik ging inleg- kruisjes dragen om onderbroeken uit te sparen. 'Je hebt nieuwe spullen nodig,' zei Mehran toen ik hem op een middag een bakje waterig geworden roomkaas aanbood.

'Het is niet gezond, een kapotte koelkast,' en hij keek me net zo lang streng aan tot ik toegaf dat ik geen geld voor een nieuwe had.

Zo kwam ik dus terecht bij het callcenter. Voor Yena me uit vroeg had ik wel eens gezoend met Lorna (die volgens mij vooral hoopte dat een innige dans met mij Mitch zou opgeilen), en ik denk dat Yena daarom peilde of ik al veel meisjes had gehad. En man, wat kreeg ik een spijt dat ik haar niet meteen de waarheid verteld had. *Eén vrouw, ik heb maar één vrouw gehad en de laatste drie jaar met haar kwam er geen seks meer aan te pas*, maar nee hoor, dat zei ik niet. Ik liet Yena geloven dat ik een of andere casanova was en vanaf dat moment zou zij bij zo'n beetje elke vrouw die we op tv of telefoon voorbij zagen komen vragen wat ik dan van háár vond. Welk cijfer zou ik dat meisje geven, en haar lippen, als ik die apart moest raten, waren de billen van die vrouw nou veel ronder dan die van haar, die heel mooie hoofdrolspeelster uit die politieserie, stel, die stond opeens voor me, zou ik haar dan proberen te versieren, en die weervrouw en ons buurmeisje en haar eigen zus, vond ik die eigenlijk aantrekkelijk, en wie vond ik dan het aantrekkelijkst: haar of haar zusje, nee, haha, dat ging te ver, hè? – 'Grapje, joh,' zei Yena dan.

Ik begon in te zien dat het niet aan mij lag. Het was het door de maatschappij opgedrongen schoonheidsideaal, jong aangeleerde verlatingsangst en zelfhaat, blablabla, vrouwenbladenmateriaal, maar ik trok het me dus aan. Yena's onzekerheden zeepbellen die ik kapot moest blijven prikken als in een telefoonspelletje, maar het werden er steeds meer en ik wilde niet verliezen, ik wilde háár niet verliezen, want ze lachte om mijn grapjes en vertelde me dat ik mooi was en ze snapte wat er zo goed is aan niet alle maar bepaalde politieseries, en 's nachts, wanneer ze met haar hoofd tegen mijn borstkas lag, wat precies paste omdat zij zo klein was, deed ze mijn hart trager kloppen – tráger, ja, en dat was precies wat ik nodig had. Dus toen ze me na onze eerste paar weken samen heel subtiel, terloops bijna, om spulletjes begon te vragen, zag ik haar wensen als welkome handvatten; prettige, concrete aanwijzingen voor hoe ik mijn liefde voor haar kon bewijzen.

Een grote televisie, zodat we onze series niet meer op mijn haperende laptop hoefden te kijken – hé, hadden we daar niet allebei profijt van? Een slaapbank, zodat haar zus die honderdveertig kilometer niet steeds weer helemaal terug hoefde te rijden. Dat jurkje met pofmouwen, want ze was afgevallen en al haar andere kleren herinnerden haar aan haar oude gewicht. Die broek met die hoge rits, want ze was aangekomen en ze voelde zich nergens anders meer mooi in. Misschien moesten we eens een keer écht goed uit eten, in dat restaurant met klimplanten dat we zo vaak op foto's van anderen zagen, want we spraken elkaar zo weinig de laatste dagen, en waren we volgende week niet precies zeven maanden samen? Een reisje naar Parijs misschien, want we hadden steeds zoveel ruzie en had ik niet zelf gezegd dat we er gewoon een keertje tussenuit moesten? Die draaitafel, dan kon ze thuis oefenen, dit werd echt een heel lucratieve bijbaan en het was tijd dat ze eens voor zichzelf ging kiezen; een pruik, twee pruiken, want ze had natuurlijk een image nodig, en dan ook maar meteen een echt fototoestel, want ze moest dat imago natuurlijk wel een beetje professioneel verkopen. Met een auto zou ze trouwens veel sneller naar optredens kunnen rijden, en als ze nou een betere telefoon had dan konden we tenminste gewoon videochatten als ze een keer heel lang weg was en shit, de discotheek waar ze zou optreden had niet

26

genoeg kaartjes verkocht en blijkbaar stond zij deels garant wanneer de avond niet doorging, klootzakken met hun kleine lettertjes: had ik het cash, misschien?

'Ze gebruikt je,' zei Mehran op een avond dat Yena er niet was. We speelden een nieuwe shooter die hij had meegebracht, Mehran had net een stel zombies door het hoofd geschoten.

'Ze gebruikt me niet, ik help haar bij haar nieuwe carrière,' bromde ik terwijl ik mijn wapen herlaadde.

'Ze heeft hooguit veertig volgers op haar socials,' zei Mehran, en hij verschool zich achter een vat benzine.

'Zoiets moet groeien.'

'Ze is een golddigger.'

'Golddigger?' Ik lachte en schoot hoofdschuddend een helikopter uit de lucht: 'Man, ik héb helemaal niets!'

'Dat is het probleem dus,' zei Mehran, 'en je wéét het,' en hij liet zijn controller zakken om me aan te kunnen kijken, waarop ik het potje won.

Goed, meneer Stitic, nu weet u ongeveer wat er aan mijn dienstverband bij Hexa voorafging. Ik was zo'n beetje bankroet toen ik die maandag voor ik zou beginnen een koffietent binnenliep. Ik had Yena twee maanden niet gezien en dacht oprecht dat ik over haar heen was, ik was haar zelfs, tot opluchting van Mehran, het een en ander kwalijk gaan nemen. Maar toen ik haar daar zo zag zitten, aan een veel te laag tafeltje, met opgetrokken schouders in haar telefoon gedoken, voelde ik mijn maag een vrije val maken. Ze had iets met haar wenkbrauwen gedaan, ik had het al gezien op haar profielen, haar wenkbrauwen waren plots een stuk forser, de afzonderlijke haartjes opgegaan in een dikke, donkere streep, alsof haar voorhoofd gecensureerd was. Ik vond het niet mooi maar de moeite die ze erin had gestoken vertederde me:

27

het speet haar, zei ze ondertussen. Het speet haar en ze miste me.

Ik miste haar ook, zei ik. En ik vertelde over mijn nieuwe baan, en dat het nu vanzelf goed zou komen met mijn schulden omdat ik een regeling met de creditcard-maatschappij had getroffen – maar daar ging ze niet op in. Yena deed of mijn schulden niet bestonden, als een man die zijn vriendin bezwangert en haar dan verwijt dat ze geen pil slikte: mijn schulden waren van mij, een onechtelijk kind waar zij niets mee te maken wilde hebben. Dat was natuurlijk klootzakkengedrag, maar toen we afscheid namen met een knuffel en een net iets te lange zoen op de mond nam ik haar al lang niets meer kwalijk – de toverspreuk 'ik mis je' had zijn werk gedaan: misschien moesten we het toch nog een keer proberen. Maar dit keer moesten we niet meteen gaan samenwonen, het langzaam opbouwen, de rekeningen eerlijk delen. Geloof het of niet, dát waren de dingen waar ik over nadacht, mijn eerste dagen bij Hexa.

Elke pauze haastte ik me naar de kluisjes om op mijn telefoon te kunnen kijken, zien of Yena misschien al iets teruggestuurd had, ja, als een rillende junkie stond ik daar met de paar andere collega's die gek genoeg waren het ene scherm voor het andere te verruilen. Op de vloer waren telefoons streng verboden want niets van wat wij bekeken mocht worden gefotografeerd of opgenomen en daar, in het kluitje bij de kluisjes, voelde ik me niets minder dan een soldaat bij het veldpostkantoor, hopend op een nieuwe pasfoto van z'n meisje, een kattebelletje waarmee ze hem laat weten dat ze aan hem denkt. Het vreemde was: wanneer deze soldaat dan eens een dagje terug van het front was, bleek het nogal moeilijk met dat meisje af te spreken. Ze moest draaien in een club waar ik niets over kon vinden. Of ze sliep weer bij haar zus en kwam pas overmorgen terug. Ze kreeg mijn berichten niet want haar telefoon was kapot, o, o, wat een miskoop was dat toch, ze moest eigenlijk een nieuwe: knipoog, knipoog.

'En nou kappen met haar,' zei Mehran op een vrijdagavond. Hij legde een hand tussen mijn schouderbladen, eerder ondersteunend dan troostend, de hand van een vader op de rug van een zoon die leert fietsen. 'Jij verdient beter,' zei hij en dit keer sputterde ik niet tegen.

Toen ik die zondag daarop weer op mijn werk kwam koos ik een kluisje dicht bij de grond zodat ik straks moeilijk bij mijn telefoon kon en die dag liep ik voor het eerst in weken naar buiten tijdens de pauze, de frisse kou in. Het was eind november, overal leunden groepjes collega's tegen muren of lantaarnpalen, de zon stond laag en wierp hun lange schaduwen over de parkeerplaats. Mensen waren in de weer met wat ik toen nog voor waterflesjes en sigaretten aanzag en even was ik weer twaalf jaar en had ik geen idee bij welk schoolpleinkliekje ik in godsnaam moest gaan staan, tot ik Sigrid, Kyo en een mij onbekende jongen in capuchonvest zag zitten op een muurtje, een soort richel die de parkeerplaats van de oprit moest scheiden.

'Hé,' riep ik al voor ik goed en wel bij ze stond. 'Hé,' zei Sigrid meteen. 'Jij bent Kayleigh, toch?' Ze lachte en rukte wat aan haar handschoenen, die dingen waren te klein en de mouwen van haar jas te kort dus hoe ze ook trok, haar polsen bleven onbedekt en het zou nog even duren voor ik dat gefrut aan haar handschoenen als een zenuwtrekje zou gaan herkennen. Op dat moment oogde Sigrid vooral erg stoer in haar krappe leren jackie. 'We hebben een kwestie,' zei ze en ze gebaarde dat ik naast haar op het muurtje moest komen zitten. 'Robert hier zag net een video van een of andere lunatic die op z'n bed met twee dode katjes aan het spelen is. Geen indringend geweld tegen dieren dus, want die beesten zijn al dood als het filmpje begint.' Hier keek Sigrid naar Robert, de jongen in het capuchonvest. Ik vroeg me af waarom hij bij deze temperatuur alleen een katoenen vest droeg en Robert knikte, zijn schouders opgetrokken tegen de kou: 'Ze waren helemaal stijf,' mompelde hij, en Sigrid ging verder: 'Je zou denken: laten staan, dit is niet iets heel anders dan die foto's van mensen die rouwen om hun dode cavia, maar!'

'Die lunatic plaatste eerder een video waarin je hem die katjes ook echt ziet doden,' viel Kyo bij. Het woord 'lunatic' leek hij van Sigrid te hebben overgenomen en bij het woord 'doden' sloeg zijn stem over als bij iemand met de baard in de keel – niet ouder dan zeventien, dacht ik weer.

'Dus er is wel degelijk sprake gewéést van indringend geweld jegens dieren subcategorie gewelddadige dood,' zei Sigrid. 'Die jongen heeft die katjes laten stikken en misschien zelfs hun nekjes gebroken, maar dat weet je dus alleen als je toevallig die vórige video hebt bekeken, dus: wat doe je met een video waarin je hem alleen met die dode beestjes ziet spélen?'

'Laten staan,' zei ik meteen. Sigrid, Kyo en Robert keken me vragend aan en even voelde ik me een heus orakel. 'Zolang er geen wreed commentaar bij staat, tenminste. Zonder tekst voldoet die video aan de richtlijnen, dat vorige filmpje telt niet, Jaymie kan je echt niets maken als je hem laat staan.'

Sigrid knikte. 'Zei ik toch,' zei ze, en Kyo glimlachte, blij misschien dat de discussie nu voorbij was, maar Robert schudde zijn hoofd alleen maar. 'Godver, dan heb ik het dus tóch fout gedaan,' en met licht trillende vingers stak hij een zelfgerolde sigaret aan.

Robert, Kyo, Sigrid. En later ook Souhaim en Louis. Dat waren de mensen die het meest voor me zouden gaan betekenen in mijn maanden bij Hexa, ik zou oprecht van hen gaan houden. Sigrid en de jongens hadden elkaar al eerder gevonden, al heb ik nooit helemaal begrepen wat hen bond, misschien was het simpelweg wat mij in hen aantrok: onze werkomstandigheden, in de breedste zin van het woord. Kyo, Souhaim en Sigrid behoorden net als ik tot de inmiddels redelijk presterende oktoberlichting. Met Robert, Louis en, alweer, Sigrid deelde ik daarbij de meeste diensten – zo zagen Sigrid en ik Louis bijvoorbeeld net iets vaker dan Souhaim, die ook wel eens een avonddienst aannam. Daarbij waren mijn nieuwe collega's de enigen die wisten wat ik overdag zag, hoe dat voelde en wat dat betekende, al praatten we over dat laatste maar weinig; onder werktijd voerden we vooral discussies over wat wel en wat niet te verwijderen. Soms zei iemand: 'Ik heb net echt iets verrots gezien, man', en dan knikten we en wisten we dat we diegene even met rust moesten laten. Buiten werktijd, echter, was het een heel ander verhaal. Wilt u weten hoe het dan ging? Vooruit dan: laat me u meenemen naar ons stamcafé.

Een sportsbar op één bushalte van ons bedrijventerrein, gelegen naast een bouwmarkt, een autodealer en twee wegrestaurants die elkaar fel beconcurreren en sinds kort dus allebéí gratis frisdrank bij hun all-you-can-eat-deals aanbieden. Het is december, sterker nog, het is kerstnacht, ik werk nu twee maanden bij Hexa en sinds die ene pauze met Sigrid, Robert en Kyo op het muurtje zit ik hier avond aan avond B52's weg te tikken. Na een strenge november beleven we nu een zachte maar regenachtige feestmaand, bij Hexa staat zowaar een kerstboom in de hal en in de ramen van de sportsbar hangen lampjes te knipperen; dat die lampjes daar het hele jaar hangen weet ik dan nog niet. Wie dat wel weet is Louis, want hij werkt al ruim een jaar bij Hexa en klaagt regelmatig over hoe snel de mensen om ons heen van baan wisselen: wij moeten beloven dat we blijven, zegt hij wel eens, en dat vinden we natuurlijk vleiend. Naast hem zit Souhaim, die iets ouder dan de rest is en Frans gestudeerd heeft. Hiervoor deed Souhaim freelance vertaalwerk, maar de klussen namen af en tot vorig jaar vervaardigde hij haast alleen nog maar HIT's, *human intelligence tasks*: thuisklusjes voor online onderaannemers die hem een karig bedrag per vertaalde medicijnbijsluiter of ovenhandleiding betaalden. Bij Hexa beloofden ze hem dat hij gauw promotie zou maken, als OE voor de Franse markt misschien, maar als Souhaim daarnaar vraagt kan niemand hem vertellen wanneer het zover is – ook dit weet ik allemaal nog niet, deze kerstavond, want Souhaim vertelt zelden iets over zichzelf. Liever doceert hij over de kwaliteitsverschillen tussen allerhande soorten bier, daarbij is hij uiterst gul waar het op rondjes aankomt, we houden hem zelden bij en ook vanavond schenken we onze overschotten over in elkaars halflege glazen: wie het minst heeft krijgt het meest, dat gaat automatisch, de routine tekent ons kameraadschap.

Hoor, er klinkt 'All I Want for Christmas Is You' op de radio. Op de snelweg achter ons staan mensen in de file op weg naar hun familie, de kerken stromen vol voor de missen, voor gebeden boven kunststof kribben en reflecties op het afgelopen jaar misschien, en wat is het onderwerp van onze gesprekken die avond, waar hebben wij het over, daar, op onze barkrukken?

Over helemaal niks. Ja, we praten en we lachen en godzijdank ontspannen we, wanneer we wijzen naar de wedstrijd, een herhaling, op de schermen boven ons. Louis schreeuwt zoals altijd het hardst en nog voor hij zijn tweede biertje aan zijn lippen gezet heeft roept hij dat die slome homo eens een keer moet leren rennen.

'God, wat een luie flikker is dat, zo gaan ze natuurlijk nooit scoren, ze vermorzelen de tegenpartij nóg trager dan Hitler de Joden – hé, kijk nou jongens, wat komt daar nou binnen? Nee, niet metéén kijken, idioten, nu, nu ja, op halftwaalf, daar staat ze, kijk dát nou, zou daar ooit iemand overheen gegaan zijn zonder in z'n mond te kotsen? Als ze maar niet híér komt zitten met die twintig ton van haar, dan zien we meteen helemaal niets meer, hé, Robert, ga snel op die lege kruk zitten voor die pot ons voor is!'

En wij lachen, hoor. Ja, we lachen allemaal, ook al heeft Kyo wat overgewicht ('babyvet', noemen wij dat), ben ik pot, is Souhaim zwart, en is Louis nota bene zelf Joods, elke keer weer lachen we om dit soort grappen, uit gewoonte maar net zo goed uit herkenning, want dit is de taal waarin homo's, Joden, zwarten, immigranten en welke BC's dan ook het afleggen, de taal, kortom, die we op ons werk de hele dag door tegenkomen. Maken we die taal belachelijk wanneer we zeggen dat de Joden ons café hebben overgenomen, want kijk hoe klein die porties nuggets tegenwoordig zijn?

Ik wou dat ik kon zeggen van wel, maar zo zit het toch niet helemaal. Oké, dat we ons van dit soort humor bedienen is wel degelijk een grap an sich, dat wil zeggen, we zien ook wel in dat het nogal ironisch is dat we juist de dingen zeggen die we de hele dag hebben lopen verwijderen – maar onze grappen zijn veel meer een opwindende flirt met het verbodene dan een vorm van moreel commentaar, en misschien ook wel gewoon een manier om te bewijzen hoe hard wij wel niet zijn en hoe vitaal, aan onszelf en aan elkaar: nee, wij laten ons heus niet door ons werk beschadigen of zoiets – al zou je, als je ons zo hoort praten, ook het tegenovergestelde kunnen geloven en misschien, dat kan ook, leg ik er nu te veel betekenis in, misschien vonden de anderen grappen over 'slome homo's' altijd al verschrikkelijk komisch. Hoe dan ook, geen van ons voelt zich geloof ik erg aangesproken, alleen Souhaim zegt soms iets als 'hé, man, zo kan-ie wel weer' met die opgetrokken wenkbrauw van hem die zowel ergernis als onverschilligheid zou kunnen uitdrukken. Die kerstavond is het onze favoriete barvrouw die met zachte hand ingrijpt. 'Van het huis,' zegt Michelle terwijl ze een dienblad vol shotjes op de bar zet. 'En nu vrede op aarde, hè?'

'Ja, man, vrede op de fucking aarde,' zeggen wij, terwijl we onze vingers in onnatuurlijke krommingen dwingen om de minuscule glaasjes te kunnen klinken, waarop de fluorescerende drankjes over de randen klotsen om ons de rest van de avond plakhanden te bezorgen.

Het was onze benjamin Kyo die voor het eerst het woord 'vriend' in de mond nam. Het gebeurde na een voorval eind januari. Het was al dagen donker en we waren nogal somber en gesloopt na de feestdagen, waarin veel moderatoren op vakantie waren waardoor de rest van ons dubbele of zelfs driedubbele diensten had moeten draaien. 'Kijk nou!' riep iemand plotseling, ik denk Louis. 'Daar staat gewoon een gast!'

We keken naar buiten en inderdaad, op het dak van het gebouw aan de overkant stond een man, niet eens heel ver weg, ik denk dat hij precies tussen de gestrekte duim en wijsvinger van mijn hand zou passen. De man deed een stap naar voren, richting de rand, en allemaal stonden we op, zelfs Jaymie en twee andere OE's. Zo stonden we ons met zo'n tachtig man bij de ramen te verdringen terwijl de timers op onze schermen doortikten: de man deed nu een stap naar achteren, het begin van een aanloop? Vanwaar we stonden konden we goed zien waar hij terecht zou komen, op de parkeerplaats stonden maar een paar auto's, die cabrio zou zijn val kunnen breken, schoot het door me heen. In filmpjes van dit soort dingen zag je de grond meestal niet en in dat geval mochten de beelden vaak blijven staan, maar dit was geen stunt of grap of activistische daad, we zouden sowieso bloed gaan zien en misschien zelfs stukjes binnenkant dus dit mocht niet, weet ik nog dat ik dacht, en misschien dachten anderen dat ook maar niemand zei iets, tot Louis riep: 'Jezus, motherfucker, spring gewoon!' Sommige collega's lachten zenuwachtig maar Louis' gezicht verstrakte. Zijn stem was angstig overgeslagen bij motherfucker en hij had door dat we dat allemaal gehoord hadden. 'We moeten iets doen,' zei iemand, en hoewel er meteen een instemmend geroezemoes opstak deed niemand wat.

Ja, wat moesten we ook? We hadden onze telefoons niet bij ons, onze afdeling had zelfs geen vaste lijnen, panisch als het platform blijkbaar was dat we de persoonsgegevens van zich misdragende gebruikers zouden gaan zitten doorbellen (aan wie, in godsnaam?). Ik keek naar Jaymie maar ook hij maakte geen aanstalten zijn telefoon uit het kluisje te halen, compleet verstard stonden we met z'n allen naar dat dak te staren, alsof we die man met onze blikken zouden kunnen opvangen.

Ik keek nog eens omlaag en toen pas zag ik haar. Vier verdiepingen onder ons, daar beneden, liep iemand over onze eigen parkeerplaats richting de overkant. 'Wie is dat?' zei ik zacht, maar ik wist al wie het was, al geloofde ik het bijna niet; die hele tijd was het of ik naar een video had gekeken en nu verscheen er zomaar een bekende in beeld, iemand die zojuist nog naast me had gestaan, als in die horrorfilm over dat meisje dat de tv uit komt maar dan andersom.

'Hé, dat is Sigrid!' zei Kyo, en hij klonk uitgelaten, of hij het paard waar hij op gewed had plots een sprint zag maken. We keken nu allemaal naar haar, een zwart bolletje dat naar het gebouw aan de overkant rolde tot het zich door twee grote glazen schuifdeuren liet opslokken. Ik voelde mijn nek warm worden. Zou Sigrid op tijd zijn? En waarom was ik eigenlijk niet zélf naar beneden gegaan?

We keken weer naar het dak. 'Wow,' klonk het om me heen, want er was een tweede man verschenen. De twee mannen bukten nu simultaan, leken ergens voor te knielen, een opperwezen dat hen vanuit de grijze januarilucht zou zegenen, maar de mannen keken niet naar boven, ze keken omlaag en begonnen ergens op te slaan, maakten grote, haast theatrale armbewegingen.

'Mijn god,' zei Louis, 'het zijn gewoon bouwvakkers!' De trilling in zijn stem was nog niet helemaal verdwenen.

'Jezus,' zeiden anderen nu, 'fucking bouwvakkers,' en het klonk verbolgen, alsof de man op het dak zelf om hulp had geroepen en ons daarmee had bedrogen. Zo snel als we waren opgestaan gingen we weer achter onze desks zitten, waar we ontdekten dat we negen kostbare minuten hadden laten wegtikken.

Tegen de tijd dat Sigrid terugkwam waren we allemaal weer aan het werk. Ze moet hebben vermoed dat wij al snapten hoe het zat, toch bleef ze in de deuropening staan. 'Oké, jongens,' zei ze hard en helder articulerend, 'niets aan de hand, ze fixen gewoon het dak.'

Ik en nog wat anderen knikten – 'Oké, fijn om te weten, dank, Sigrid' – maar Louis, Louis begon natuurlijk weer te schreeuwen. 'Oké, bitch, alleen weten we dat al!'

Hij bedoelde het niet gemeen – bitch was bij ons meer een koosnaam dan een scheldwoord – toch stond Kyo op. Vastberaden liep hij naar de desk waar Louis zat en iedereen keek om. 'Doe normaal, man,' zei Kyo. 'Zo praat je niet tegen een vriend' – en nog voor Louis iets terug kon zeggen liep Kyo verder, naar Sigrid, die nog altijd in de deuropening stond. Hij sloeg zijn armen om haar heen en zij liet zich plechtig omhelzen en voor de tweede keer dat kwartier vervloekte ik mezelf dat ík niet in actie gekomen was: de heldendaden lagen die ochtend voor het oprapen en ik zat daar maar een beetje toe te kijken.

Tijdens de pauze was de sfeer anders dan anders, zij het op een fijne manier: we gedroegen ons uitgelaten, riepen, en giechelden zelfs misschien. We waren weliswaar vreselijk geschrokken van die man op het dak maar er bleek niets aan de hand, wat we nu voelden was een mengeling van opluchting en zoet zelfmedelijden, want wat had ons doen geloven dat die man zou springen?

'De honderdeen miljoen filmpjes die we ervan gezien hebben,' mompelde Robert, die met rode ogen op ons muurtje ging zitten, en we knikten en voelden ons waarschijnlijk allemaal even nobel als zielig. Robert liet zijn sigaret rondgaan. Inmiddels wist ik dat er een onverantwoord hoge hoeveelheid hasj door zijn tabak zat en normaal sloeg ik Roberts maaksels dan ook af, maar dit keer nam zelfs ik een hijs, dit keer namen we allemaal een hijs, Robert, Sigrid, Souhaim, Kyo en zelfs Louis, en ik weet zeker dat Kyo's woorden van die middag daarbij door onze hoofden gingen: *zo praat je niet tegen een vriend*; een vriend, ja, wij waren vrienden – voor zover ik wist was dat nooit eerder zo duidelijk uitgesproken en het voelde of er iets was bezegeld, toegegeven: in het heetst van de strijd had de liefde zich uit laten roken, zo-iets.

Ik keek naar Sigrid. Ze stond op het punt een derde hijs te nemen. Ik keek naar haar strakke paardenstaart, haar lange, magere vingers die de sigaret alweer aan Louis doorgaven en daarna een blikje lippenvet open-draaiden: wie was deze vrouw eigenlijk, wat wist ik van haar?

Ik keek net iets te lang. Sigrid betrapte me en lachte bestraffend.

Die avond zouden we voor het eerst zoenen. Na werk liet Robert een tweede sigaret rondgaan en bij de bus-halte namen we allemaal een slok uit Souhaims chi-que hoornen zakflacon, dus toen we rond zeven uur de sportsbar binnenkwamen waren we nog steeds uitgela-ten, sterker nog, we joelden alsof we met z'n allen een of andere olympische medaille hadden binnengehaald. Er stonden mensen te dansen. Dat gebeurde zelden in de sportsbar maar Michelle moest de stemming van haar clientèle hebben aangevoeld en had de afspeellijst op vol volume gezet. Een meisje uit onze lichting stond te zoenen met een enorme jongen, het duurde even voor ik hem herkende; het was John, die op ons werk altijd blauwgeruite overhemden droeg, maar nu zijn heupen stond te wiegen in een kletsnat T-shirt, de stof door-weekt van het zweet hoewel het buiten noch binnen erg warm was.

Ik dans niet en ging op een van de laatste vrije bar-krukken zitten. Sigrid kwam naast me staan, de muziek stond te hard om elkaar te kunnen verstaan en dus ook om shotjes af te kunnen slaan en mijn herinnering aan onze eerste zoen is eerlijk gezegd nogal vaag. Later, in de periode dat Sigrid en ik elkaar een tijdje niet zagen, zou ik die zoen desalniettemin oproepen wanneer ik masturbeerde en inmiddels is mijn herinnering aan die fantasie scherper dan mijn herinnering aan de avond zelf. In de fantasie blijft Sigrid me almaar aanstaren. Ze doet alles om me aan te raken, hangt overdreven over me heen wanneer ze een nieuw biertje van de tray tilt. In de fantasie leg ik mijn hand dan op haar bovenbeen, waarop zij haar hoofd schudt en rood wordt, en dan ga ik naar de wc en komt zij achter me aan gelopen. Ze trekt aan mijn schouder om me naar zich toe te draaien en ik duw haar tegen de muur; we blokkeren het toch al smalle gangetje naar de toiletten en tegen de tijd dat onze lippen elkaar raken ben ik meestal klaargekomen, en zo niet, dan schakel ik over op een andere herinnering, een beeld van een paar weken later: we bevinden ons in mijn bed en Sigrid zit op me, 'dieper, dieper', roept ze en ze trekt een even lelijke als geile grimas en de gedachte aan die blik, dat van genot vertrokken gezicht dat ook wel iets weg heeft van iemand met verdriet, dat werkt eigenlijk altijd meteen. Maar als u me vraagt hoe onze eerste zoen er daadwerkelijk uitzag dan vermoed ik: niet heel anders dan de zoen van John in zijn natte shirt en het meisje uit mijn lichting. Twee mensen die ergens vanbinnen weten dat ze waarschijnlijk worden bekeken maar zich door elkaar laten meeslepen en dus rollen ze die hele berg maar af, de alcohol hun zwaartekracht. 'Jullie bleven maar tongen,' zei Kyo de volgende ochtend, 'jullie bleven maar tongen en tongen en doorgaan!' Hij klonk ronduit opgewonden, alsof wij zijn gescheiden ouders waren die vannacht hun liefde hadden hervonden: ik geloof dat we allemaal lachten, niet in de laatste plaats om het contrast tussen Kyo's enthousiasme en onze verrotte katerkoppen.

Wanneer sloeg mijn interesse in Sigrid om in verliefdheid? Ik vind het lastig het kantelpunt aan te wijzen, over die eerste zoen deden we allebei nogal nonchalant, namelijk. Toch ging ik daarna naar meer verlangen. Wanneer iemand die week voorstelde om naar de sportsbar te gaan peilde Sigrid voor ze instemde steeds eerst of ik ook meeging en daar werd ik helemaal wee van. We zoenden steeds vaker, en op avonden dat het niet van tongen kwam vroeg ik me 's nachts in bed af of ik soms te weinig avances gemaakt had, om me de volgende ochtend dood te schamen omdat ik opeens zeker wist dat ik juist te veel mijn best had gedaan. Ik ging meer drinken. Soms al in de pauzes, sowieso bij de bushalte. Maar ja, we gingen allemáál meer drinken, op een middag sloeg Sigrid Souhaims heupflacon in één keer achterover waarop Louis applaudisseerde en Souhaim haar een gespeeld verontwaardigde blik toewierp.

Op een ochtend één, twee weken na die eerste zoen zei Sigrid plots tegen me dat ze die avond niet mee zou gaan naar de sportsbar. Ik schrok, voelde me betrapt en bespot: waarom moest ze me dit om negen uur 's ochtends al vertellen en waarom klonk ze zo verontschuldigend? Had ik me dan zo laten kennen? Om te bewijzen dat het me niets kon schelen of zij er nou wel of niet bij was ging ik die namiddag met alleen Robert en Louis naar de sportsbar en we hadden elkaar weinig te vertellen, maar het goede was dat ik die avond nauwelijks dronk en vroeg naar huis ging om nog even te vingeren voor het slapengaan, waardoor ik de volgende ochtend voor het eerst in dagen zonder kater op het werk aankwam.

'Vanavond ga ik weer mee, hoor,' fluisterde Sigrid toen we die middag naar onze vaste plek op de parkeerplaats liepen. Hoewel ik dat een fijn vooruitzicht vond voelde ik me licht beledigd. 'Wat je wil,' zei ik zo mat mogelijk, en toen deed Sigrid iets wat ze nog niet eerder gedaan had. Daar, op ons muurtje, pakte ze voor het eerst mijn hand vast. Het leek een haast achteloos gebaar, uitgevoerd met de vanzelfsprekendheid waarmee een ander zijn telefoon uit z'n zak haalt. Ze keek me niet eens aan, bleef met Souhaim praten over weet ik veel. En even wilde ik me losrukken maar in plaats daarvan begon ik te knijpen. Het ging vanzelf, haast automatisch, met al mijn kracht kneep ik haar vingers samen, tot zij niet eens meer los had kúnnen laten.

Was dat het moment? Het moment waarop ik echt verliefd werd? Misschien wel niet, meneer Stitic. Misschien is verliefdheid niet zozeer een volle spaarkaart aan bepaalde gevoelens en gedragingen, eerder een simpele optelsom van verlangen plus angst. Het verlangen was er vrij plotseling, eigenlijk sinds die eerste zoen, de angst groeide daarentegen geleidelijk: de angst dat ze vanavond niet mee zou gaan naar de sportsbar, de angst dat we deze keer niet zouden zoenen, de angst dat ze zich zou bedenken – dat waren zo'n beetje de gradaties van mijn verliefdheid.

De eerste keer seks was niet memorabel. De eerste keer samen wakker worden was dat wel, ook al was het verdomme kwart over zes 's ochtends omdat ik een extra vroege dienst had aangenomen. Het was nog donker toen ik het dichtstbijzijnde tankstation binnenliep om koffie en chocolademuffins te halen. De twee andere klanten zagen een grauwe verschijning met afhangende schouders binnenkomen, verdacht zelfs misschien, door die joggingbroek en zwarte hoody, maar man, er lag een prachtige vrouw in mijn bed en bij het afrekenen was ik zo euforisch dat ik de jongen achter de kassa zei dat hij het wisselgeld mocht hebben al was het zowat genoeg voor een pakje sigaretten.

'Vertel me eens iets over jullie relatie,' zei dokter Ana tijdens onze tweede sessie.

We zaten in een ruimte die verdacht veel weg had van een woonkamer en ik vroeg me af of dokter Ana hier in haar eentje de krant zat te lezen 's avonds. Er hing kunst aan de muur en er stond geen doos tissues op tafel, dokter Ana had gezegd dat ik mijn schoenen uit mocht trekken als ik dat fijn vond maar ik had ze aangehouden.

'Wat moet ik vertellen?' vroeg ik.

'Wat er maar bij je opkomt,' zei dokter Ana en ze warmde haar handen aan haar theeglas.

'Ik weet niet wat u horen wilt,' zei ik en dokter Ana bleef vriendelijk lachen en zei dat er geen goede of foute antwoorden bestonden.

Ik moet een of andere redneck hebben geleken die niet aan d'r eigen therapie wilde meewerken. Dat was niet per se zo, tante Meredith had dit geregeld en ik voelde dat ik het haar (en haar portemonnee) verschuldigd was dokter Ana een kans te geven. Daarbij wist ik ook wel dat dingen doorgaans sneller voorbijgaan wanneer je meewerkt en weet u, ik mócht dokter Ana, ik vond het *fijn* dat ze thee voor me had gemaakt. Maar ik moest voorzichtig zijn. Ik was op dat moment twee maanden weg bij Hexa en had Sigrid al die tijd niet gezien. Wat wilde de vrouw tegenover me dat ik zou vertellen, wat dacht ze te kunnen ontdekken?

'Wat voor dingen deden jullie destijds samen?' vroeg dokter Ana. Ik keek naar het schilderij achter haar, een donkere figuur, meer schaduw dan mens, die met armen als stokken ergens naar reikte. Misschien was het dat vreemde kunstwerk, misschien was het dokter Ana's empathische zwijgen, maar plots voelde het of er iets zwarts en plakkerigs bij me naar binnen sijpelde.

'We deden samen wat we eerst alleen deden,' zei ik uiteindelijk. 'Werken, slapen en naar de sportsbar gaan' – en dat was waar, meneer Stitic.

Het was alleen niet het hele verhaal.

Sigrid was vijf jaar ouder dan ik. Ze woonde in een klein maar smaakvol ingericht appartement waar we nooit kwamen. Ze had geen kinderwens, ze had geen schulden, ze was zeven jaar met een man geweest waar ze nog altijd goed contact mee had, niet in de laatste plaats omdat ze een Duitse herder deelden; dat de hond bij haar ex woonde was omdat deze Pete een groter huis had: elke zondag om de twee weken wandelde Sigrid met ex Pete en hond Mickey een rondje om de grote plas (en wat smolt ik wanneer ik haar op foto's met die leeuw van een beest zag). Sigrid had nergens spijt van, zei ze vaak. Vooruit, op één ding na: dat ze nooit een studie had gedaan. Ze had als zeventienjarige geen zin gehad om nog langer naar school te gaan en haar ouders hadden haar gelijk gegeven toen ze zei dat een studie niets voor haar was; ze nam het hun nog steeds kwalijk, herhaalde zó vaak dat hun mening waarschijnlijk financieel was ingegeven dat ik ging vermoeden dat ze daar zelf misschien niet helemaal van overtuigd was. Jarenlang had Sigrid horecabaantjes gehad, van danseres was ze gedegradeerd tot barvrouw, grapte ze, maar ze had last gekregen van haar knieën, was die nachtdiensten zat en met haar nieuwe baan bij Hexa hoopte ze alsnog een studie te kunnen bekostigen straks.

Naar de sportsbar gingen we dan ook steeds minder vaak. Dronken worden kon thuis ook maar dan goedkoper. Bovendien wilde ik Sigrid die weken na onze eerste nacht stiekem niet te veel meer met de jongens delen, ik wilde haar echt leren kennen, alles van haar weten, onze schaarse vrije uren niet langer verspillen aan gesprekken over valse doelpunten en de grootte van Europese bierglazen versus Amerikaanse. En vooruit, misschien vond ik het ook gewoon fijn soms eens voor negenen in bed te liggen opdat ik niet te moe zou zijn om haar eens écht lekker te vingeren.

Sigrid was heel anders dan Yena. 'Ik ga koken vanavond,' zei ze al na een paar dagen. En even dacht ik dat ik een of andere keukenprinses aan de haak had geslagen maar dat bleek voorbarig, de pasta was die avond slap gekookt en de tomatensaus veel te waterig. Sigrid begon gewoon te lachen toen ik mijn bord leeg had. 'Sorry, hoor, dit was zo mislukt. Ik had nooit gedacht dat je dit zou opeten!' Ik lachte mee, uit verrassing en uit opluchting, maar licht beschaamd ook, want ik had gedaan of ik het eten lekker vond omdat ik dacht dat Sigrid anders boos zou worden (Yena zou zeker boos zijn geworden). Zij interpreteerde mijn reactie gelukkig anders: 'Zo lief dat je me niet wilde kwetsen', zou ze de rest van de avond blijven zeggen.

Sigrid leek heel zelfverzekerd, ook daarin verschilde ze van Yena. Ze wist duidelijk wat ze deed en wat ze wilde, dus niks geen 'eerst aftasten' of 'even aankijken', zij had míj gekozen, de leukste puppy uit het nestje, en ze leek geen moment te twijfelen aan wat ik dan precies allemaal voor háár voelde. Terecht, want juist die vastberadenheid vond ik vreselijk aantrekkelijk, deed haar alleen maar in mijn achting stijgen, al bleef ik wat op mijn hoede, die wittebroodsdagen, al helemaal toen Sigrid twee, drie keer per week boodschappen voor ons ging halen. Ze wist dat ik schulden had en stond erop dat zij alles betaalde; ze zou nog geen tomaat van me hebben aangenomen. En toch, de eerste paar keren dat Sigrid haar witte plastic tassen op mijn aanrecht zette vond ik het lastig te geloven dat er niet ooit toch een bonnetje tevoorschijn zou komen en wekenlang heb ik geld opzijgezet voor het geval dat. Maar Sigrid zou nooit ergens om vragen, sterker nog, na anderhalve maand samen peilde ze wat ík wilde hebben voor mijn naderende, zevenentwintigste verjaardag. 'Niets!' zei ik, want ik wist wat ze verdiende, en ik wist waarvoor ze spaarde. Ik liet haar zweren dat ze niets voor me zou kopen en daar hield ze zich aan, al zou ze, alsnog, met een geweldig cadeau komen, waarna ik mijn laatste restje argwaan zou laten varen.

We hadden die ochtend allebei vrij en zij had ontbijt gemaakt, toast, eieren, jus d'orange, alles erop en eraan. Tegen mijn mok stond een envelop: 'Een e-mail van mijn dierenarts,' zei Sigrid.

'Hoezo dat?'

'Lees nou maar!'

Het was zó lief. Man, ik kon wel huilen toen ik die e-mail las, want die brief ging over iets van vroeger, iets wat ik alléén aan Sigrid verteld had.

De geschiedenis van mijn hamster Archibalt.

Ik was zeven toen ik het beestje kreeg. Archibalt was nog redelijk groot voor een hamster, had enorme ogen en een goudglanzende pluisvacht, zo schattig en knap dat je zou twijfelen of hij echt was wanneer je hem op foto's zag. Steeds wanneer ik thuiskwam van school trok het diertje zich met zijn kleine voorpootjes op aan de spijltjes van zijn kooi, om zijn lijfje in een ronduit acrobatische beweging richting zijn tralieplafond te slingeren. Daar bleef hij ondersteboven hangen als een luiaard, zijn vaste manier om mij te begroeten. Als dank kreeg hij een stukje biscuit van me, dat hij in zijn wangen propte zodra hij weer in zijn veilige zaagsel stond. Elke avond kwam ik naast zijn kooi zitten, dan vertelde ik hem welke kinderen uit mijn klas er wel en niet tegen me hadden willen praten die dag, en na een jaar of twee zou ik hem daarnaast trouw bijpraten over hoe het met mijn moeder was, wat mijn vader zei dat de dokter gezegd had. Archibalt luisterde altijd, sloot zijn oogjes wanneer ik hem met mijn wijsvinger achter zijn oortjes kriebelde. En wanneer ik terugdenk aan hoeveel kracht het Archibalt moet hebben gekost zich steeds weer ondersteboven te presenteren, voel ik nog steeds de neiging het beestje tegen me aan te drukken: 'O Archibalt!' zuchtte ik de eerste keer dat ik Sigrid over hem vertelde. Zij had me net daarvoor een foto van herder Mickey laten zien en we verkeerden, geloof ik, in dát stadium van een relatie waarin gesprekken soms nog iets van interviews weg hebben, hielden van die eindeloze conversaties die verraden dat de hoeveelheid liefde die je voor elkaar voelt niet bepaald strookt met de hoeveelheid informatie die je over elkaar hebt: met vragen probeerden we het verschil op te heffen, denk ik, en ik vertelde Sigrid alles wat ik me over Archibalt kon herinneren, zelfs hoe ons samenzijn eindigde.

Op een middag haalde mijn vader me vroeger dan gewoonlijk van school. Mijn moeder werd geopereerd, hij waarschuwde dat het een lange avond ging worden. Om halftwaalf 's nachts zaten we nog in de wachtkamer, mijn vader vroeg of hij mij naar huis moest rijden en ik dacht aan Archibalt, die al uren alleen in zijn zaagsel rondscharrelde. Maar mijn vader leek vermoeid en ik meende aan zijn blik af te lezen dat hij eigenlijk weinig zin had om op en neer te rijden, hij zou sowieso in het ziekenhuis slapen en om eerlijk te zijn denk ik dat ik die nacht ook gewoon liever niet alleen was. Tegen de tijd dat we de volgende middag weer thuis waren had Archibalt bijna achtenveertig uur geen eten of drinken gehad. Ik was dan ook blij verrast dat hij zijn gebruikelijke zwiepbeweging inzette zodra ik mijn kamer binnenkwam. Daar hing hij, mijn kleine sterke Archibalt, fier ondersteboven. Hij reageerde alleen nauwelijks toen ik een stukje biscuit voor zijn snuit hield. Voorzichtig aaide ik hem over zijn kopje, in mijn herinnering sloot hij daarop traag maar waardig zijn oogjes. Toen begon zijn lijfje plots te trillen, als dat van een hardloper die net over de finish komt, vlug tilde ik Archibalt uit zijn kooi en zette ik hem op mijn schoot. Archibalt woog zo weinig dat het was of er een pruim op mijn knieën lag, dat was altijd zo, maar dit keer rolde de pruim niet op en neer, zoals gewoonlijk, dit keer bleef mijn pruim stilliggen, om zijn oogjes niet meer te openen.

Ik had altijd geweten dat het mijn schuld was. Het voelde dan ook of ik Sigrid het souterrain van mijn ziel binnenliet toen ik haar vertelde welke zonde ik als bijna elfjarige begaan had. Maar Sigrid keek niet geschokt of verrast, eerder peinzend, alsof ik haar een som had voorgelegd waar ik zelf ook niet uit kwam. 'Hmm,' deed ze. 'Een hamster kan toch wel even zonder eten? Hoe oud zei je nou dat Archibalt was?' Ze had nog iets gezegd over dat het waarschijnlijk niet aan mij lag en ik vond het lief maar geloofde haar niet, uiteraard, en nu, op mijn verjaardag, vond ik dus plots die brief bij mijn dampende kop koffie.

'Stond de kooi niet in de volle zon of op de tocht,' las ik, 'dan is het inderdaad mogelijk en zelfs waarschijnlijk dat het beestje aan ouderdom overleden is. Hamsters kunnen in de regel best twee dagen zonder eten, ze

leggen vaak een voorraad aan.' Was getekend, de dierenarts die Sigrids herder ooit gecastreerd had.

Het was het mooiste cadeau dat ik ooit van iemand
gekregen had maar dat zei ik niet. Ik was denk ik bang
dat het niet geloofwaardig zou klinken en dat ik Sigrid
met mijn slappe gehakkel alleen maar zou schofferen.
Ik liet me door haar omhelzen en zou de rest van de dag
aan de brief blijven denken, waardoor ik op werk alleen
maar een beetje glimlachte bij een filmpje van een man
in rode overall die van een afstand door een onzichtbare
schutter in de rug werd geschoten.

'En wat voelde je precies wanneer je bij haar was?'

Ik geloof dat dat dokter Ana's volgende vraag was, de
middag dat we het over Sigrid hadden.

'Wat ik voelde?' vroeg ik.

'Ja, wat voelde je wanneer je bij haar was?'

'Ik voelde me goed. Ik voelde me helemaal fantas-
tisch.'

'En hoe kwam dat?'

Dat kwam vast door domme clichédingen, die, als ik
ze zou noemen, niet alleen Sigrid maar ook mijn welbe-
spraaktheid tekort zouden doen, en dokter Ana moest
niet denken dat ik simpel was, ook al liep het gesprek
stroef. Daarom vertelde ik maar over Sigrids verjaardags-
cadeau, en dokter Ana schreef iets op, blies in haar thee
en knikte of ze er zelf bij was geweest, ik met mijn belevenissen háár geheugen opfriste: 'Dat klinkt heel fijn
allemaal,' zei ze.

Ik knikte, nam een slok van mijn eigen thee en voelde me plotseling trots. Een vreemd soort trots, alsof we
bij mijn diploma-uitreiking zaten en dokter Ana me vertelde dat ik geslaagd was. Even was ik opgelucht, maar
toen ik die middag naar de metro liep ebde dat gevoel

weg. Het was stom geweest dokter Ana over Sigrid te vertellen. Ik ging steeds sneller lopen, keek niet om en zette mijn telefoon uit. Alsof dokter Ana me elk moment teleurgesteld kon bellen om me te vertellen dat ik toch níét geslaagd was, omdat ze wist dat ik mijn cijfers vervalst had.

Ik geloof dat we zeven weken samen waren toen Sigrid een boek over voeding en het brein las. We hadden meer groente nodig, zei ze, en veel meer vetzuren en eiwitten: 'Dan gaan we ons vanzelf beter voelen.' Ik vroeg haar die avond niet wat ze bedoelde met: dan gaan we ons vanzelf beter voelen. In plaats daarvan zei ik, maar half plagerig: 'Ja maar, lief, we drinken elke dag minstens vier blikjes bier, dat is toch ook niet goed?'

'Maar dat hebben we nodig,' zei Sigrid beslist, en daarna hield ik maar gewoon mijn mond.

Niet veel later werd er een grote doos bezorgd. Sigrid had elf zakjes gojibessen besteld en nog wat gedroogde vruchtjes en zaden. 'Açai en chia,' zei ze, 'goed voor onze hoofden.'

Fronsend keek ik toe terwijl ze theezakjes met verschillende smaken bij elkaar in één doosje propte om ruimte te maken voor haar nieuwe pakjes in mijn keukenkastje. 'Hoe duur waren die bessen?' hoorde ik mezelf zeggen. 'Volgens mij had je net zo goed bosbessen kunnen kopen.' Maar Sigrid schudde stellig haar hoofd. 'Deze zijn extra helend, súpergezond.'

'Supergoed in de markt gezet,' zei ik, maar Sigrid haalde haar schouders op en deed enigszins plechtig het kastje dicht, alsof de bessen daarbinnen met rust moesten worden gelaten om hun speciale krachten te doen groeien.

Die avond was Sigrid een stuk stiller dan normaal. Toen ik haar vroeg of er misschien iets was, zei ze dat ze buikpijn had en toen heb ik een kruik voor haar gemaakt.

In de loop van de lente kregen Sigrid en ik steeds vaker last van gojibesmomenten. Sigrid had een meditatie-app gedownload en stelde voor dat ik dat ook zou doen: 'Misschien helpt het jou ook,' zei ze. Ik lachte en zei dat ik niet geloofde dat mediteren op een telefoon kon. 'Oké,' zei zij alleen maar, en ze verwijderde de app demonstratief waar ik bij zat, maar een paar dagen later zag ik het meditatielogo gewoon weer op haar scherm voorbijkomen en opeens begreep ik hoe dat kussen die middag midden op de huiskamervloer terechtgekomen was.

Niet lang daarna zou ze voor het eerst écht boos op me worden. We stonden op de parkeerplaats voor onze kantoorflat en het ging niet goed met Robert. Dit was vlak voor dat gedoe met die taser en Robert liet zijn sigaretten niet langer rondgaan, al een paar dagen keken we toe hoe hij z'n beruchte maaksels in zijn eentje oprookte. 'Ik weet niet hoelang ik het hier nog trek zo,' zei Robert, en wij knikten. We wisten waar hij het over had, de week daarvoor hadden we behoorlijk slecht nieuws gehad: porno en spamberichten zouden voortaan direct worden doorgestuurd naar een nieuw moderatorenteam in India. Wij zouden ons nu vooral nog buigen over geweld, misbruik en meer 'cultuurgevoelige kwesties' – bedreigingen, berichten waarin de scheidslijn tussen ironie en racisme vaag is, dat spul. Het probleem was: porno en spam lieten zich altijd meteen wegklikken, dat maakte het mogelijk om vijfhonderd tickets per dag af te handelen. Nu wij uitsluitend met de lastigere tickets werden opgezadeld, daalde met onze scores ook onze motivatie: 'M'n rating zat gewoon wéér onder de tachtig,' zei Robert nu en Sigrid, mijn lieve Sigrid, probeerde hem te kalmeren. 'Morgen neem ik wat valeriaan voor je mee,' beloofde ze, 'dat druppel je zo in je thee.' Ik snap nog altijd niet helemaal waarom ik niet gewoon knikte om Robert een klap op zijn rug te geven zoals Kyo en Louis dat deden, maar nee, nee hoor. In plaats daarvan zei ik met een knipoog: 'Voel je niet verplicht dat spul te nemen, hoor,' en Sigrid oogde plotseling zo kwaad dat ik haar de rest van de pauze niet meer durfde aan te kijken.

'Waarom zeg je nou niets meer?' vroeg ik haar in de bus.

'Omdat jij mij dan toch gaat lopen ondermijnen,' siste Sigrid terug.

Slaapgebrek, zei ik mezelf die paar keer dat Sigrid het op een straffend zwijgen zette. Zij was gewoon een beetje moe, we waren allebei een beetje moe; ja, dat was wat ik mezelf die weken voorhield en zo vergezocht was dat nu ook weer niet. Sigrid was een slechte slaper, dat had ik al snel gemerkt. Al vanaf onze eerste nacht samen wilde ze dat ik haar vasthield in bed. Maar ook haar lijf was anders dan dat van Yena, langer, slanker, op de een of andere manier paste ze minder goed in mijn armen; haar vasthouden betekende dat mijn rechterarm op den duur ging tintelen, om de doorbloeding weer op gang te krijgen moest ik me soms even omdraaien. Zodra ik haar losliet begon Sigrid te woelen, op haar kussen te slaan en te draaien – ze lag gewoon niet lekker, zei ze, en we bestelden pittenkussens maar dat hielp niets. Soms dacht ik even dat ze sliep, maar dan verraadde een plotselinge zucht dat ze toch wakker lag. Of ik moest om vijf uur 's ochtends plassen en dan sjorde ik mezelf naar het voeteneind om daar uit bed te stappen zodat ik haar niet zou wekken, en dan zei zij iets van: 'Hé, hallo' – op een toon of we elkaar tegenkwamen in de supermarkt en dan lachten we allebei net iets te hard. Zij deed, op haar beurt, haar uiterste best om mij door te laten slapen. Maar soms zei ze opeens iets in haar slaap, iets onverstaanbaars dat ze maar bleef herhalen en dan schudde ik aan haar arm om wat het ook was dat ze zag uit te drijven, te verjagen. Op zulke nachten gingen we rechtop zitten in het donker en drukte ik haar tegen me aan tot ze weer helemaal stil was.

Nooit vroeg ik haar waarover ze droomde. Ik kon wel wat dingen verzinnen. Maar dat waren allemaal dingen waar ik zelf liever ook niet aan dacht, in elk geval niet 's nachts, met het licht uit en onze desks bij Hexa kilometers ver weg.

Al zou ze het me op een dag natuurlijk toch vertellen.

We waren in de sportsbar en Sigrid had om een long island iced tea gevraagd. Het was duidelijk dat Michelle dat drankje niet heel vaak eerder had gemaakt, haar brouwsels waren die avond zo sterk dat zelfs de jongens na twee rondes afsloegen. Maar Sigrid lag op ramkoers. Pas na flink onderhandelen wist ik haar over te halen die derde cocktail dan toch tenminste met mij te delen, en zodra we thuiskwamen strompelde ze richting de badkamer. Ik hield haar haren uit haar gezicht en toen ze klaar was kuste ik haar voorhoofd. Zo zaten we een tijdje op de grond. 'Gaat het?' vroeg ik en Sigrid mompelde iets maar keek niet op, liet haar hoofd op mijn onderarm rusten. Hoe langer we zo zaten, hoe zwaarder haar zwijgen; het was geen ijzige stilte, eerder een eisende stilte, een stilte die iets van me wilde. Ja, het was duidelijk dat Sigrid een andere vraag verwachtte dan 'gaat het?', en toen ik, laf als ik was, die vraag niet stelde, gaf ze het antwoord maar gewoon uit zichzelf. 'Ik voelde me niet goed vanmiddag,' zei ze, en daar gingen we dan.

'Waarom niet?' mompelde ik nauwelijks hoorbaar en ik keek voor me uit, staarde naar de spetters op de toch al niet heel witte toiletpot.

'Ik weet het niet,' zei ze.

Maar ik voelde dat ze het wel wist, dat ze wilde dat ik haar over een drempel heen hielp terwijl ik zelf het liefst met haar tegen de verwarming was gaan zitten, maar dat was niet wat Sigrid nu nodig had. 'Heb je...' begon ik, maar ik kreeg de woorden nauwelijks uit mijn mond. 'Heb je wat gezien vandaag?'

Sigrid knikte.

'Was het... erg naar?'

Sigrid probeerde haar schouders op te halen en gleed daardoor bijna uit mijn armen. 'Niet echt,' zei ze.

We zaten nog altijd op de grond, ik rechtop, zij half liggend. Ze moet uitzicht hebben gehad op de stapel toiletrollen achter de pot en ik denk dat dat het op de een of andere manier makkelijker voor haar maakte om verder te praten. Ze had die middag een filmpje van een jongen gezien, vertelde ze. Een kind nog maar, hooguit twaalf misschien, de wanden van zijn kamer behangen met posters van ijsprinsessen. 'Je zag geen streepje witte muur meer,' zei Sigrid. Ze leek te glimlachen en even hoopte ik dat het wel meeviel wat ze ging vertellen. Het jongetje richtte zijn telefoon op zijn voet, ging Sigrid verder. Hij zette een stanleymesje tussen zijn grote teen en tweede teen, prikte de punt in het velletje ertussen, alsof hij zijn tenen chirurgisch van elkaar ging scheiden. Het kind opereerde klungelig, hij hield zijn telefoon vast met zijn ene hand terwijl hij met zijn andere hand kracht zette; zodra Sigrid bloed zag had ze het filmpje afgezet.

'Waarom?' vroeg ik, want ze had de beelden eigenlijk moeten afkijken, wie weet kwam er nog een geslachtsdeel langs of was er sprake van misbruik door een derde.

'Ik kon het niet,' zei Sigrid, en ze maakte een snuivend geluid. 'Dat filmpje deed me ergens aan denken.'

Waaraan dan, lief?

Ik zei het met tegenzin, de vraag stellen was als met ogen dicht een veld vol hondenpoep in rennen, want wat zou ze gaan zeggen? Er schoten allerlei opties door mijn hoofd, beelden van enkels, polsen en paardenstaartjes waarvan ik dacht dat ik ze was vergeten, ik voelde mijn nek warm worden en even dacht ik dat ik zelf zou overgeven. Waarom deed mijn liefste dit? We hadden dit gedoe altijd zo goed buiten dit huis weten te houden en nu wilde Sigrid plotseling praten, het voelde of ze niet alleen de toiletpot maar ook de rest van de ruimte besmeurde. Ja, ik denk dat ik geloofde dat haar woorden donkere vegen op de tegelmuren zouden maken, derrie uit het riool via het doucheputje de badkamer zouden doen binnenstromen; iets waar ik al weken bang voor geweest was, een dreigend onheil dat zich al die tijd in açaibessen en meditatieapps had verscholen maar dat ik vooralsnog met aangezette onverschilligheid had weten af te wenden: hou nou op lief, dacht ik nu we samen op de koude badkamervloer zaten. Hou toch op, alsjeblíéft.

Maar Sigrid vertelde verder. 'Het deed me denken aan een ander kind,' zei ze, en ik verstevigde mijn greep. 'Aan een meisje,' zei Sigrid. 'Ik zag haar een paar maanden geleden, rond Kerstmis.'

Dit kerstmeisje was iets ouder dan het jongetje dat ze vanmiddag had gezien. In plaats van een stanleymes had het meisje een los scheermesje gehanteerd, bij aanvang van de video had ze het lemmet horizontaal op het velletje onder haar oogbol geplaatst en kracht gezet.

Stap voor stap vertelde Sigrid hoe dit meisje zichzelf bewerkte en bij elke stap vroeg ik me af wat onze richtlijnen hierover zeiden. Werd de video live uitgezonden, dan mochten we niet ingrijpen: zolang iemand nog geholpen kan worden door zijn volgers laat je de gebruiker z'n gang gaan. Is de video eerder opgenomen én oogt de persoon op de beelden 'duidelijk minderjarig', dan stuur je de beelden door naar de afdeling Kinderprotectie op een kantoor in het buitenland voor je hem weghaalt – weghalen moet, anders bestaat het risico dat andere gebruikers de gedragingen in het filmpje gaan nadoen, tenzij het filmpje nieuwswaardig is, dan moet het blijven staan. Is degene die het filmpje plaatste ook degene die zichzelf toetakelt, dan klik je sowieso de categorie 'Zelfbeschadiging' aan en ontvangt de gebruiker een hulphandleiding, nummers die hij of zij kan bellen in het land van residentie: dreigt de gebruiker daarbij met zelfmoord, dan hoeft alleen te worden ingegrepen als hij of zij een concrete tijd en plaats noemt en beweert dat de daad binnen vijf dagen zal plaatsvinden: zelfmoorddreiging, live of niet, nieuwswaardig, duidelijk minderjarig? – die vragen werden een refrein dat Sigrids verhaal overstemde, en het duurde even voor ik begreep wat ze daarna zei.

'Je hebt haar opgezocht, zei je dat?'

'Ja.'

'Dat meisje?'

'Ja. Maar op internet, hè?'

Nu weet u natuurlijk dat schrijfgerei op de werkvloer verboden is, meneer Stitic. We mogen niets noteren, we mogen niet eens papier bij ons hebben, een keer moest John zijn rolletje pepermunt inleveren want o wee als hij iets op de wikkel zou schrijven (met zijn onzichtbare marker, zeker). Maar Sigrid had de naam van het meisje onthouden. Dat was nogal knap, aangezien ze dagelijks honderden gebruikersnamen voorbij zag komen, maar Sigrid, mijn slimme, lieve Sigrid, had die dag rond Kerstmis een ezelsbruggetje bedacht. Nona Morgan Lindell heette het meisje: No Monalisa, Morgan Freeman, chocola ('Lindt', snapt u wel?). Nog diezelfde december-avond zocht Sigrid thuis Nona's profiel op. De video was verdwenen en deze confrontatie met haar eigen werk was vervreemdend: shit, had Sigrid gedacht, ze hebben de video weggehaald. Maar ze had het natuurlijk zelf gedaan en nu kon ze niet met zekerheid nagaan of dit het goede profiel was. De tiener op de foto's leek in elk geval op het meisje dat ze 's ochtends in het filmpje had gezien. Bij 'familie' waren geen andere gebruikers aangevinkt. Op haar profielfoto lachte ze wel erg breed, haar huid was digitaal gladgestreken en ze droeg een diadeem met roze kattenoortjes, tienertrends van dat moment, inderdaad, maar wel heel opzichtig allemaal. Hoe langer ze naar dit profiel keek, hoe meer argwaan Sigrid kreeg. Waarom stond deze 'Nona' niet op foto's van anderen? Zelf plaatste wie er ook achter het account zat juist om de dag een portret van het meisje, waarop ze altijd zwoel de camera in staarde, soms met snorharen. Als 'favorieten' waren een tekenfilmzender aangeklikt, verschillende make-up-merken en fanpagina's van Koreaanse jongensbands: dit leek Sigrid eerder een karikatuur van een tienerprofiel dan de pagina van een authentieke gebruiker. Eigenlijk was het allemaal volkomen doorzichtig, wat moest een tiener überhaupt op een platform als dit, iedereen wist dat de jongeren lang geleden naar hun eigen dans- en playbackapps waren vertrokken. Het profiel was nep, be-sloot Sigrid. En waarschijnlijk gold dat ook voor het film-pje met het scheermesje; wat had ze nou eigenlijk pre-cies gezien, liep dat bloed niet ongeloofwaardig elegant over die meisjeswangen? Kon ze het maar nog een keer bekijken, en voor de tweede keer die winteravond had Sigrid zichzelf vervloekt omdat ze haar werk gedaan had.

'Wat een raar verhaal, lief,' zei ik. We zaten nog altijd op de vloer van de badkamer, Sigrid nog net iets meer onderuitgezakt dan eerst. Wie ons zo zou hebben gezien, had gedacht dat ze opnieuw niet goed geworden was, maar Sigrid leek zich nauwelijks bewust van haar weinig comfortabele positie; haar zwijgen verraadde dat ze nog niet uitgepraat was.

'En verder?' vroeg ik zacht. 'Hoe liep het af?'

'Ik ben teruggegaan,' zei Sigrid.

'Naar het meisje?'

'Naar haar profiel, ja.'

Dat was op 3 januari, ruim twee weken nadat Sigrid Nona's filmpje voor het eerst had gezien. Sigrid had vrij en ze was moe en ze verveelde zich. No Monalisa, Morgan Freeman, chocola: ze bleek het nog niet te zijn vergeten. Ergens hoopte ze dat het profiel zou zijn verdwenen, nepaccounts hielden nooit lang stand. Maar het profiel was er nog. Zelfde profielfoto, zelfde inhoud, op één groot verschil na. Nona's pagina was volgelopen met berichten van klasgenoten, leraren, buren en een atletiekteam. Allemaal schreven ze dat ze Nona zouden missen, want wat was ze een bijzonder meisje geweest, een einzelgänger misschien, maar net zo goed een zonnestraal. Sigrid had haar laptop dichtgeklapt, was boodschappen gaan doen en ondanks haar vermoeidheid had ze die avond haar kledingkast volledig opnieuw ingericht. Het hielp niet. Die nacht kon ze niet slapen, en niet lang daarna begonnen de nachtmerries.

En niet lang dáárna begon ze mij te versieren, dacht ik in een flits, en even kreeg haar vastberadenheid van toen een nieuwe betekenis maar ik zei niets en stopte Sigrids haren achter haar oren. Zo zaten we een tijdje zwijgend op de grond.

'Die video was niet live, toch?' vroeg ik uiteindelijk.
'Nee,' zei Sigrid.
'En je hebt hem doorgestuurd naar Kinderprotectie?'
Sigrid knikte.
'Geen hints naar suïcide?'
Sigrid schudde haar hoofd nu.
'Nou, dan heb je toch gedaan wat je kon, lief?'

Sigrids nachtmerries stopten niet na die avond met de long island iced teas. Nog altijd schrok ze om de zoveel nachten wakker en steeds weer nam ik haar dan in mijn armen. 'Het is jouw schuld niet,' zei ik aanvankelijk, maar Sigrid leek het niet te willen horen, gromde bij alles wat ik zei, een bevestiging van wat ik eigenlijk al wist: praten, dingen eindeloos herhalen, heeft gewoon geen enkele zin. Ze ging steeds meer bladgroenten eten, trok thee van bittere kruiden en verzamelde allerlei glazen flesjes in de koelkast: 'natuurlijke' supplementen. 'Wie zegt dat wat jij erover hebt gelezen meer waard is dan wat ik erover heb gelezen?' antwoordde ze als ik heel voorzichtig de werking in twijfel trok. Ze bood me haar middeltjes ook nooit meer aan, maar goed, ik vroeg er ook niet om. Ze wilde ook steeds vroeger naar bed als ze bij mij was. Haar hartkloppingen zouden door slaapgebrek komen en ze lag er soms al om halfacht in. Ik zeg het u eerlijk: van seks kwam het thuis nauwelijks nog.

Ik heb dit allemaal nooit verteld aan dokter Ana. En zeker niet wat er daarna gebeurde. Vlak voor de derde sessie heb ik haar afgebeld, en de week daarop opnieuw; ze was gewoon net te nieuwsgierig naar mij en Sigrid. Ik vermoed echter dat u het wel zult begrijpen, meneer Stitic. U weet hoe het er bij Hexa aan toeging, u kent mijn collega's, weet hoe ons normaal in elkaar zat. Dus laat me u uitleggen wat mij die zomer op de been hield.

Op een ochtend kwam Hexa met een set huisregels aanzetten. Plots hingen er overal A4'tjes op muren en ramen, van een afstandje leken het net namenlijsten: alsof we met z'n allen gingen bekijken wie er door de audities voor het schooltoneel waren gekomen. Het bleek te gaan om een paar uiterst puntig geformuleerde nieuwe kantoorgeboden. Eén: geen drank in en om het gebouw. Twee: geen drugs in en om het gebouw. Drie: geen hoofddeksels op de werkvloer. En daar, helemaal onderaan, vier: geen seksuele handelingen in en om het gebouw.

Dit ging over de kolfruimte, wisten we allemaal. Een paar dagen eerder waren drie mensen samen betrapt in de kamer voor jonge moeders op de tweede verdieping, daarna was het slot van de deur gehaald zodat mensen zich daar niet langer konden opsluiten. Die maatregel werd echter al snel weer teruggedraaid na protesten: een kolfkamer zonder slot was onwettig, hoorde ik wat meiden klagen op de gang. Moesten deze nieuwe huisregels de kwestie nu oplossen? Noem het kinderachtig maar na onze middagdienst slopen Sigrid en ik de trap af naar de tweede om de boel daar eens even grondig te inspecteren. We waren niet de enigen, vanuit de kolfruimte klonken verschillende stemmen en in de gang kwamen we John en een nieuw meisje tegen. Zo evolueerde onze missie van een objectieve inventarisatie in een zoektocht naar een lege kamer, helemaal niet makkelijk, kan ik u vertellen: uiteindelijk stond ik Sigrid die avond tussen de afvalcontainers achter het gebouw te vingeren.

'Seksuele handelingen in en om het gebouw'. Voor ons was dit de eerste keer en het wérkte, veel beter dan wanneer we thuis waren en Sigrid thee wilde drinken en slapen, eerlijk: het was een verademing. Daarna wilden we natuurlijk meer en een paar dagen later ontdekten we een soort opslaghok, een kleine ruimte vol dozen en objecten die we pas na een paar keer als de onderdelen van een gedemonteerd kopieerapparaat zouden herkennen. Sigrid ging er tegen de enige kale muur staan en ik befte haar.

Het opslaghok werd onze vaste plek, niemand betrapte ons daar. Best jammer eigenlijk, dacht ik na een paar keer. Ik ging me afvragen wat er zou gebeuren als er iemand binnenkwam terwijl wij daar tussen de onderdelen bezig waren en thuis masturbeerde ik wel eens op die gedachte wanneer Sigrid al in bed lag.

Er was een lift, maar die was niet voor ons bestemd. Je had er een pasje voor nodig en wij, armetierige moderatoren van de vierde, hadden dat niet. Dat pasje werd een heilige graal voor mij en Sigrid: we vroegen Jaymie of hij er een had misschien en toen hij wilde weten waarom lachten we als tieners. Niet lang daarna verzonnen we een list. Een halfuur voor werktijd positioneerden we ons in de hal, Sigrid en ik. We deden of we iets op onze telefoon bekeken tot we een man naar de lift zagen lopen. 'Wacht even,' riep Sigrid, 'wij moeten naar de negende!' – ik was weer eens even heel trots op haar. Die man had trouwens gewoon echt een lederen aktetas bij zich, alsof hij zich zo van het gespuis op de vierde wilde onderscheiden, en we zagen hem twijfelen maar twee nette vrouwen kon hij natuurlijk niet weigeren dus daar stonden we: met z'n drieën in een hokje van anderhalf bij twee meter. Eigenlijk had ik toen al zin om m'n hand onder Sigrids shirt te laten verdwijnen, gewoon waar die man bij stond, want even zag ik ons door zijn ogen: twee vrouwen met elkaar bezig, de ene niet eens heel sexy, o, wat een schok – het idee dat zijn afschuw zijn geiligheid wel eens zou kunnen aanwakkeren (en hem waar wij bij waren een schandaleuze stijve zou kunnen bezorgen) wond me op de een of andere manier vreselijk op.

De man stapte uit op de zevende verdieping en zodra de deuren dichtschoven zette ik Sigrid tegen het paneel liftknoppen en voelde tussen haar benen, maar nee: ze zou niet nat worden voor de negende. Jammer, zei ik tegen mezelf.

Te weinig tijd, blijkbaar.

In die periode goten de paar collega's die dat nog niet hadden gedaan hun zakflacons over in onopvallende petflesjes en tegen juli werd er meer geblowd dan ooit. Op een dag bracht zelfs Sigrid haar eigen blikjes mixdrank mee. Dat was nieuw, daarvoor dronk en rookte ze alleen wat anderen haar aanboden. Maar die drankjes – goedkope gin-tonic en veel te zoete rum-cola die volgens Souhaim een bedreiging voor onze smaakpapillen vormden – werden een gewoonte. Ik zei er niets van. Alcohol en chiazaad, het was een wat komische combinatie maar hé, het was háár lichaam en ik had geen zin meer in discussie. Bovendien ging het goed, vond ik, met mij, met ons: man, kijk ons nou! weet ik nog dat ik op een middag dacht. Het is zomer en hier zitten we, samen op ons muurtje, de zon op onze bleke gezichten, mijn arm om haar mooie middel – nee, eigenlijk waren er niet veel dingen om ontevreden over te zijn; ik had werk en ik had vrienden en ik had een mooie vrouw vast en dat was meer dan ik vroeger ooit had durven hopen, want weet u, vele zomers geleden hing ik in de pauzes ook rond op een parkeerplaats. Toen zat ik in m'n eentje tegen andermans auto's aan, uit het zicht van de andere meisjes staarde ik naar het onregelmatige stippenpatroon van uitgespuugde kauwgom op oud asfalt, hopend dat Kitty uit de vijfde vandaag niet naar me toe zou komen om me een manwijf te noemen, of, nog erger, om naast me te komen zitten en me zwijgend in mijn dijbeen te knijpen.

Wanneer ik dáár aan terugdacht voelde ik me ronduit gezegend, meneer Stitic. Vooruit, het werk dat we deden was volkomen shit maar wij konden het aan, want wij, Sigrid, de jongens en ik, wij waren een team en we sleepten elkaar er wel doorheen.

Ja, dat was wat ik geloofde, die zomer.

Kent u de *flat earth theory*, meneer Stitic? We leven niet op een bol maar bewegen ons voort op een zwevende schijf, onder een gigantische doorzichtige koepel, een *dome*. De zon, de sterren en de maan zijn projecties en de CIA bespeelt ons als figuranten op een Hollywood-set: *flat earthers*, zoals aanhangers van deze theorie zichzelf noemen, zijn met velen, het is een miljoenenbeweging. Ze verspreiden hun ideeën via fora en chatgroepen en hebben inmiddels ruim vijfenvijftig miljoen filmpjes op hun naam staan: 'Zó veel dat je ze niet in één mensenleven zou kunnen bekijken,' zag ik een gelovige ooit trots beweren.

Ik heb nogal wat flat earth-materiaal voorbij zien komen, weet u. Gebruikers van het platform markeerden dergelijke materie regelmatig als aanstootgevend, maar verkondigen dat de wereld plat is (of dat terroristische aanslagen door overheden zijn beraamd en dodelijke virussen in staatslaboratoria zijn gemaakt) is niet tegen de regels. Toch moesten wij die video's telkens uitzitten want wie weet had een of andere weirdo de basisprincipes van de zwaartekracht onderuit proberen te halen door een pasgeboren baby van vijfhoog te gooien. Duurden zulke filmpjes langer dan een paar minuten dan werkten ze me op de zenuwen, maar om de memes van flat earthers kon ik wel lachen: afbeeldingen van NASA-leiders als tovenaar van Oz of rattenvanger van Hamelen, gedetailleerde schema's over 'Photoshopfoutjes' in officiële foto's van onze aardbol – ja, vergeleken met andere samenzweringsgemeenschappen vormen die flat earth-types best een brave beweging, een goedgeorganiseerde beweging bovendien, met eigen internationale congressen, T-shirts en gadgets: 'Wat heb jij nou om?' vroeg ik Kyo op een middag.

We stonden met z'n vieren bij de bushalte en Louis begon grijnzend z'n hoofd te schudden. 'Een horloge,' zei Kyo en hij toonde zijn pols aan mij en Sigrid. Ik begreep niet meteen waar ik naar keek. De wijzerplaat was een landkaart, omlijst met een witte ring, een plattegrond uit een of andere fantasyroman, dacht ik, best iets voor Kyo. Het glas voor de wijzerplaat was alleen niet plat, maar bol, een soort heel kleine stolp. Of dome.

'Flat earth,' kuchte Louis weinig subtiel en Kyo trok zijn pols terug. 'Hé,' mompelde hij, 'kijk niet zo raar, Kayleigh,' en Louis grijnsde opnieuw.

Blijkbaar waren de anderen al op de hoogte van Kyo's nieuwe geloofsovertuiging. Maar ik had deze ontwikkeling gemist en was oprecht verbaasd.

'Je gelooft er niet in, hè?' zei Kyo en hij klonk nukkig, als een boze tiener, valselijk beschuldigd van het omstoten van de vaas terwijl de kat het heeft gedaan.

'Sorry,' zei ik, 'maar de aarde is een bol.'

Kyo schudde zijn hoofd. 'Hij is plat,' hield hij vol en Louis grapte nog dat ik beter niet verder kon vragen, maar daar ging ik al: 'Waarom zou de aarde plat zijn?'

'Er is geen bewijs dat hij bol is.'

'Volgens mij is dat er wel.'

'Oké, leg uit dan?'

Oké, dat kon ik niet. Het was lang geleden dat ik natuurkunde of aardrijkskunde gevolgd had en om eerlijk te zijn kende ik inmiddels vooral argumenten voor het idee dat de aarde géén bol was, al had ik er nooit aan getwijfeld dat dát grote onzin was.

'Zie je wel,' zei Kyo. 'Dat kun je niet. Terwijl het bewijs dat de aarde plat is zich steeds hoger opstapelt.'

'Waarom zouden wetenschappers ons voorliegen?' vroeg ik, maar eigenlijk kende ik het antwoord al en Kyo keek echt boos nu: 'Omdat ze dat al zó lang doen. Als ze zich nu laten ontmaskeren dan verliezen ze al hun geloofwaardigheid, en daarmee hun status en macht over ons.'

'Er zijn klokkenluiders,' klonk het naast me. Dat was Sigrid, die zowaar met Kyo stond mee te knikken. 'Er zijn wetenschappers en hoogleraren die bevestigen dat de aarde plat is, maar als ze daarmee naar de mainstreammedia gaan verliezen ze hun baan.' Sigrid speelde met het lipje van haar blikje mixdrank en sprak doodkalm, alsof ze, o gewoon, wat handige tips over het ophangen van een schilderijtje aan het delen was.

'Ja maar, jongens,' probeerde ik. 'Ik heb die filmpjes ook gezien, hè? Het is alleen écht niet waar.'

'Dat weet je niet,' zei Kyo, waarop ik enigszins wanhopig naar Louis moet hebben gekeken want die hief plots zijn armen alsof ik hem onder schot hield: *hier bemoei ik me niet mee, vriend.*

'Er zijn geen vluchten tussen...' begon Sigrid.

'Nee,' zei ik meteen, 'dat klopt niet.'

'Je weet nog helemaal niet...'

'Jawel, je wilde zeggen dat er geen directe vluchten zijn tussen continenten op het zuidelijk halfrond omdat de duur van die vluchten zou verraden hoe de wereldkaart écht in elkaar zit, maar er zijn best...'

'Hou op, je laat me niet uitpraten!'

Sorry, dacht ik meteen. Ik moet snel mijn excuses aanbieden, sorry tegen Sigrid zeggen want ze vindt het niet fijn als ik haar ondermijn waar onze vrienden bij zijn, maar Kyo's bus kwam aangereden en Louis begon hem al op de rug te kloppen bij wijze van mannelijk afscheid. Zelf gaf ik Kyo vlug een boks en voor hij instapte draaide hij zich nog één keer om. 'Ik begrijp het wel,' zei hij, en hij klonk plots eerder vaderlijk dan boos. 'We hebben het er nog wel over, in het begin was ik net zoals jij.'

Zodra Kyo's bus vertrokken was wendde Louis zich subtiel van mij en Sigrid af, ik was hem dankbaar dat hij zijn telefoon uit zijn achterzak haalde.

'Sorry,' zei ik tegen Sigrid. 'Sorry dat ik je net onderbrak.'

'Is oké,' antwoordde zij wat mat. En ze pakte mijn hand vast en ik kneep maar zij kneep niet terug, haar hand lag slap in de mijne en als ik nog langer zou knijpen zou ik haar waarschijnlijk pijn doen.

Niet lang daarna ging Sigrid op vakantie. Haar ex had een appartement in de buurt van het strand gehuurd: 'Fijn voor Mickey, kan-ie lekker rondrennen.' Hoewel ze beweerde dat ze al een tijdje 'met het idee speelde' om met Pete mee te gaan, kwam haar mededeling als een verrassing: ze zou begin augustus vertrekken en op z'n minst twee weken wegblijven.

'Langer zou ik echt niet doen,' zei ik. 'Straks raak je er helemaal uit, joh.'

'Waar uit?'

'Werk, de richtlijnen, straks kom je terug en kun je helemaal niet meer meekomen.'

Sigrid keek me aan of ze niet zeker wist of ik het meende. 'Ik denk dat dat wel mee zal vallen.'

Ze had het nodig, zei ze. Aan zee kon ze haar hoofd leegmaken, misschien eindelijk eens goed slapen – begreep ik dan niet dat ze dat nodig had? O ja, dacht ik, en wie houdt je dan vast 's nachts? Maar ik wilde niet moeilijk doen, ik gunde het haar, echt waar, hoor. Wel vroeg ik misschien nog een paar keer waarom ze dan niet met mij ging, maar dan zei ze steeds dat Pete haar nu eenmaal meegevraagd had.

'Gaat Pete's nieuwe vriendin ook mee, dan?'

'Nee, dat is uit. Dat had ik je al verteld, toch?'

Elke dag dat ze weg was stuurde Sigrid foto's van voornamelijk Mickey; de herder in de branding, de herder op een strandstoel met een zonnehoed op. De beelden deden me steeds weer glimlachen, behalve wanneer er een duim of stuk broekspijp van Pete op stond. Op werk voelde ik me ondertussen wat rusteloos. Ik miste de uitstapjes naar het opslaghok en 's avonds had ik pijn aan mijn vingers, nek, schouders en pols.

Op een middag belde ik Mehran, en nog dezelfde avond zat hij naast me op de bank. We hadden elkaar maanden niet gezien, de laatste keer dat hij bij mij was had ik hem wijsgemaakt dat ik voor de klantenservice van een kabelmaatschappij werkte. Nu speelden we een oude shooter, een game die we allebei goed kenden. Misschien hoopten we dat dat vertrouwde spel ook iets van onze oude dynamiek zou oproepen; onze gesprekken verliepen stroever dan vroeger – maar het hielp niet, die shooter.

'Mag het geluid zachter?' vroeg ik, en ik schrok omdat ik mijn gedachte hardop uitgesproken had.

'Waarom?' vroeg Mehran.

'Ik vind het te heftig,' zei ik, en hoewel hij het niet zal hebben begrepen liet hij me het geluid uitzetten. Het ratelen van machinegeweren, het herladen van kalasjnikovs, maar vooral: de doodskreten van gevallen personages, plots bezorgden ze me een drukkend gevoel op mijn borst waardoor ik nauwelijks nog vooroverboog naar het schaaltje nacho's op de grond. Eigenlijk zou ik het liefst een racespel spelen, maar ik wist dat Mehran niet van racespellen hield. En ik wist óók dat hij zijn afkeer van dat soort spellen meteen opzij zou zetten wanneer ik mijn bezwaren zou uitleggen, maar dat deed ik niet. Ik kon immers al raden wat hij dan zou zeggen.

Bij het afscheid hield Mehran mij die avond iets langer vast dan normaal. Daarna zou ik hem nooit meer bellen.

Zo in m'n eentje verstreken de drukkend warme avonden tergend traag. De hitte hielp niet eens tegen mijn pijnen, sterker, de steken in mijn nek en rechterschouder werden alleen maar erger. Om mezelf wat af te leiden ging ik iets doen wat ik al een tijdje niet meer had gedaan: ik ging porno kijken. Voordat ik iets kreeg met Sigrid – lees: toen ik nog wel eens alleen thuis was – keek ik soms naar filmpjes waarin zogenaamd lesbische vrouwen zogenaamd heteroseksuele vrouwen versierden: 'Studente verleidt kamergenoot', dat spul. Nu ik mijn favoriete pornosite na enige tijd weer eens bezocht schotelde het algoritme me meteen nieuw materiaal binnen mijn oude voorkeuren voor: 'Masseuse verleidt heteroseksuele cliënte', of zoiets. Ik klikte op het filmpje en zag een meisje op een massagetafel liggen. Er kwam een iets oudere, blonde vrouw binnen met een stapel heel kleine handdoekjes en massageolie, *hi, how are you?* – en toen gebeurde er iets raars met me. Ik raakte onrustig, mijn nek zeurde en ik had de neiging op te staan, en dus niet omdat wat ik zag nou aanstootgevend was. Eerder omdat ik het plots zo ontzettend *saai* vond. Mijn eerste maanden bij Hexa had ik honderden video's met vrouwen als deze voorbij zien komen, maar zodra díé op een massagetafel plaatsnamen kregen ze meteen een stuk of vier piemels in hun gezicht gedrukt. De masseuse in het filmpje dat ik nu had aangeklikt daarentegen ging op haar dooie gemak over het slipje van haar 'heteroseksuele cliënte' staan wrijven. Het was gewoon of ik naar een natuurfilm zat te kijken, of nee, nog braver: naar een filmpje van een knapperend haardvuur. Ik klikte de beelden door tot het moment waarop de slipjes eindelijk uitgingen: nog niet eens zo heel lang geleden had ik dat vreselijk opwindend gevonden, maar nu werd ik bijna kwaad van hoe traag het ging.

Ik ben op andere genres gaan zoeken, die avond. En toen ik maar niet vond wat ik zocht verruilde ik mijn favoriete pornosite voor een alternatieve zoekmachine. Zo'n progressieve, die je zoektermen niet opslaat.

Ik was geloof ik niet de enige die Sigrid miste. Die dagen zagen we Kyo plots een stuk minder, ik denk dat hij nog steeds beledigd was om ons wantrouwen jegens flat earth, en nu Sigrid met man en hond op het strand zat, verloren Souhaim, Louis, Robert en ik blijkbaar definitief onze aantrekkingskracht. Steeds vaker stond Kyo in de pauze bij een groepje jongens dat Louis ooit voor nerds uitgemaakt had, al hadden we op dat moment allemaal aangevoeld, Louis incluis, dat dat niet bepaald een sterke belediging was: in hun spierwitte merkgympen en dik katoenen polo's zagen die studenten of wat het ook waren het predicaat 'nerd' ongetwijfeld als een geuzentitel. Op een middag stonden ze nog geen meter van ons af te bulderen, we zagen Kyo met zijn handen op zijn knieën staan hijgen alsof hij stikte in zijn eigen pret. 'Aandachtstrekkers,' mompelde Louis en ik knikte, Robert keek glazig en ik zag nog net hoe Souhaim zijn hoofd schudde, niet omdat hij zich stoorde aan Kyo en zijn nieuwe posse, eerder, leek het, omdat hij inzag hoe diep wíj gezonken waren. Want keek ons nou: zuur om het plezier van anderen, als iemands neurotische buurvrouw.

In mijn herinnering kwam Robert die dag met zijn mededeling. We stonden 's avonds in de sportsbar en nog voor we met z'n allen een fatsoenlijke slok hadden genomen zei Robert: 'Ik moet jullie iets vertellen, jongens.' Hoewel de wietlucht van hem afsloeg oogde hij vrij zenuwachtig. Ik dacht: straks gaat hij nog zeggen dat hij verliefd is op een van ons, maar in plaats daarvan vertelde Robert dat hij ons ging verlaten. 'Ik trek het niet meer bij Hexa,' zei hij, en zijn statige articulatie verraadde dat hij zijn woorden had voorbereid. 'Ik trek het al heel lang niet meer.' Nog voor Robert was uitgesproken bogen Souhaim en Louis zich over hem heen en even versmolten ze met z'n drieën tot zo'n kluwen gespierde ledematen die je normaal alleen op het sportveld ziet na een doelpunt dan wel definitief verlies. 'Dit is dapper, man,' fluisterde Souhaim, en Robert schudde zijn hoofd nu. 'Ik voel me gewoon geen persóón meer.'

'Ik begrijp het,' zei ik toen ik Robert omhelsde. Ik voelde hem nee schudden in mijn nek. 'Nee, lieve Kayleigh,' fluisterde hij. 'Je begrijpt het niet. Jij hebt een eigen huis, jij hebt opties.' En voor ik nog iets kon zeggen pakte Souhaim Robert opnieuw vast: 'Het komt wel goed met jou, oké?' en ik zag dat Louis zijn ogen sloot en zuchtte.

Roberts laatste werkdag was twee dagen later al. Louis gaf hem een shotglaasje met zijn naam erop waar Robert hem met tranen in zijn ogen voor bedankte; Louis bleef zo stug volhouden dat het niets was dat ik ging vermoeden dat hij dit soort glaasjes al eerder aan vertrekkende maten meegegeven had en even voelde ik de behoefte ook hém tegen me aan te drukken. Ook Kyo kwam Robert gedag zeggen. De jongens sloegen hun rechterhanden tegen elkaar, haakten hun vingers in die van de ander en even leek het of ze vuistje drukten in de lucht. 'Jammer dat Sigrid er niet bij is,' zei Kyo, en iedereen knikte en mijn buik sijpelde vol zelfmedelijden want hoewel Sigrid alweer bijna terugkwam voelde ik me plots een of andere eenzame weduwe en die avond vingerde ik net zo lang tot mijn klit beurs was en branderig.

De dag van Sigrids terugkomst zaten we midden in een officiële hittegolf. De parkeerplaats lag in de volle zon en op ons muurtje konden we niet zitten, de hete stenen zouden onze blote benen brandmerken. Medewerkers die niet rookten bleven die dagen binnen, in de pauze hingen we beneden rond in de hal, het was een vrij ontheemd gebeuren dat me deed denken aan de keer dat Barbra en ik elf uur lang op een vol vliegveld doorbrachten nadat een sneeuwstorm al het luchtverkeer had platgelegd: ook nu zaten mensen in groepjes op de grond partjes sinaasappel uit te delen. Sigrid en ik positioneerden ons tegen een muur. Het liefst was ik meteen met haar naar het opslaghok gegaan, maar we hadden elkaar nog maar nauwelijks gesproken sinds ze terug was dus ik vroeg haar of ze een fijne vakantie had gehad.

'Het was oké,' zei ze luchtig.

'Ja?'

'Ja. Het was fijn er even tussenuit te zijn.'

Toen ik niet meteen iets terugzei gaf ze me vlug een zoen op mijn wang en daar was Kyo al om Sigrid te vertellen dat hij haar gemist had: 'En wist je al dat Robert weg is?'

Die nacht bleef Sigrid gewoon weer bij me slapen. Ik drukte haar goed tegen me aan. Ze wurmde zich los uit mijn armen en ik pakte haar opnieuw vast tot ze iets mompelde als 'te warm'.

Over wat er daarna gebeurde lopen de meningen uiteen, meneer Stitic. Dat wil zeggen, Sigrids versie verschilt nogal van de mijne, voor zover ik haar versie überhaupt begrepen heb: ze was nogal emotioneel de laatste keer dat ik haar sprak, weet u. Maar als u nu een pistool tegen mijn hoofd zet en u zegt: vertel me over jullie laatste weken samen, over wat er wérkelijk gebeurde tussen die 15 en 30 augustus, dan zeg ik u dit: er gebeurde mij eerder te weinig dan te veel.

Na Sigrids terugkeer bezochten we nog een paar keer het opslaghok en één keer stelde Sigrid zelfs voor onszelf te filmen. 'Dan kunnen we het later samen terugkijken,' zei ze. Geloof het of niet, maar dat roerde me. Ik dacht: misschien wil ze iets goedmaken (hoewel dat in mijn ogen helemaal niet nodig was, ik was allang blij dat ze terug was van vakantie). Het was inderdaad spannend, zo'n derde, digitaal oog, ik weet nog dat het me extra op dreef bracht. Van samen terugkijken kwam het nooit, maar redenen om daar iets achter te zoeken had ik niet.

Al veranderde er na die middag wel iets. Steeds vaker kwam Sigrid met een smoes om de tweede verdieping vandaag over te slaan. Ze voelde zich niet lekker na die tonijnsandwich, ze was moe, of ze wilde de eerste bus naar huis halen want ze ging vegetarische lasagne maken en die vellen moeten wellen. Ik vond het jammer, maar was ook weer niet zó verrast. Nog vaak dacht ik aan wat ik Barbra ooit had horen zeggen tegen een oude vriend van haar: 'Hoe beter je elkaar kent, hoe ongemakkelijker de seks,' en hoewel ik nog altijd vermoed dat Barbra het destijds over anderen had – hun gezamenlijke kennissen uit de boekenclub of zoiets – was het wat onze eigen relatie betrof destijds griezelig accuraat. Vooruit, dacht ik nu bij Sigrids relaas over die ranzige tonijnsandwich, blijkbaar zitten wij inmiddels in een volgend stadium – ik zag haar subtiele afwijzingen als een bewijs van intimiteit, begrijpt u?

Sigrid was inmiddels weer min of meer bij mij ingetrokken en ze praatte in die tijd regelmatig over samen naar het appartement aan zee gaan, Pete zou vast korting voor ons kunnen regelen. Ze stelde zelfs voor dat ik Pete zou ontmoeten, ze had ons al zoveel over elkaar verteld en hij was nieuwsgierig naar me, zei ze, dus zo slenterden we op een middag met Mickey en Pete om de plas aan de rand van de stad. In wat denk ik een wederzijds hoffelijke poging was ons tempo op elkaar af te stemmen liepen we tergend traag, en Pete vertelde van alles over de bamboekwekerij waar hij in geïnvesteerd had.

Sigrid dronk die dagen een stuk minder dan daarvoor. Ze ging ook iets beter slapen. Zelf sliep ik iets slechter nu we nauwelijks nog in het opslaghok kwamen, maar ik wil niet beweren dat die twee dingen met elkaar te maken hadden. Wel geef ik toe dat ik mezelf nogal een gentleman vond omdat ik haar nooit wekte wanneer ik wakker lag. Heel soms masturbeerde ik waar ze naast lag, gewoon, om in slaap te komen, en ik verzeker u: als zij dat bij mij gedaan had dan had ik dat volkomen, maar dan ook volkomen logisch en normaal geacht. Dus ja, meneer Stitic, laat uw pistool maar zakken, dit was hoe het ging die dagen. We fantaseerden over een toekomst samen. Over schulden in één keer afbetalen (ik), voedingskunde studeren (zij), een maltezerpuppy adopteren (zij), écht samenwonen (wij allebei), 'een nog beter betaalde baan vinden' (ik), 'je bedoelt een normále baan vinden, lief' (zij).

Toch beweert Sigrid dat zij de boel anders beleefd heeft. En inmiddels zijn mijn herinneringen aan onze laatste weken, en aan de weken daarvoor ook misschien, als het stuk pyriet op de boekenkast van mijn tante Meredith. Onder de meest gunstige omstandigheden lijkt dat ding een heuse klomp goud, maar dimmen de lampen dan kleurt het stuk steen zilverachtig blauw en ga je er 's nachts recht voor staan dan kijk je naar een zwarte, ogenschijnlijk verkoolde homp.

Goed, volgende vraag nu. Wat gebeurde er op 30 augustus, de dag dat Sigrid bij me wegging? Dat vind ik een lastigere kwestie. Soms denk ik het te begrijpen, maar dan sla ik al snel weer aan het malen over wat zij zei, over wat ik zei, wat we daarvoor hadden gedaan en gelaten en dan ga ik toch weer twijfelen: misschien zat het anders. En dat idee, die gedachte aan een alternatieve, verzachtende uitleg, doet het aambeeld in mijn maag heel even opstijgen, maar na een paar keer vrijuit ademhalen knalt het gewicht gewoon weer op zijn plek, bijvoorbeeld omdat ik aan Sigrids laatste woorden denk.

Mijn herinneringen aan die een-na-laatste dag van augustus laten zich, kortom, op verschillende manieren uitleggen. Dus laat me u eerst precies vertellen wat er die vrijdag gedaan en gezegd is.

Het is twintig over twee als ik de parkeerplaats op loop. De verzengende hitte van de afgelopen weken heeft plaatsgemaakt voor een gulle nazomerzon en ik krijg in één keer zin in de herfst: mijn borst kriebelt bij de gedachte aan dennenappels rapen, eekhoorntjes, geruite sjaals en regenlaarzen, ik heb met geen van die dingen veel ervaring maar dit is hoe ik herfst op de lagere school heb aangeleerd en het verlangen naar dennenappels heeft zich nooit laten temperen, steekt elke september weer de kop op – ik ben nogal vrolijk kortom, en een tikje melancholisch.

Dan zie ik: Sigrid staat vandaag bij Kyo, midden op de parkeerplaats, bij Kyo en twee types uit zijn nieuwe posse. Het zijn slungelige jongens, de een draagt een grijze baseballpet, de andere een lange, kreukvrije parka; ook zij zijn niet immuun voor het herfstgevoel, blijkbaar.

Waarschijnlijk, denk ik, kwam Kyo naar mijn meisje toe en zijn Pet en Parka er toen bij komen staan; misschien is het wel zo netjes om me een keer aan hen voor te stellen (ik zei toch dat ik in een goede bui was?). Maar dan zie ik Louis in zijn eentje op ons muurtje zitten. Hij ziet mij ook en steekt een hand op, het gebaar is niet dwingend, eerder vragend, en blijkbaar heb ik ook weer niet zó veel zin in Pet en Parka want ik zeg tegen mezelf: Sigrid komt zo wel. Trouw aan ons muurtje ga ik naast Louis zitten en hij geeft me een klap op de rug en we kuchen wat en zeggen: 'Hé, man, hoe gaat het?'

Sigrid komt alleen niet. Ze blijft maar bij Kyo staan en ik zie hoe ze zijn nieuwe vrienden om een vuurtje vraagt. Louis en ik zijn al snel uitgepraat. Het uitzicht op Kyo en Sigrid reduceert ons tot publiek en daarvan worden we alleen maar stiller: 'Zullen we...'

'Even naar hen toe?' vult Louis aan en we knikken en we komen van het muurtje.

'O, hé!' zegt Sigrid als ze ons ziet. Ze klinkt of ze ons niet verwacht had, alsof we twee kennissen van salsales zijn die ze alleen had uitgenodigd uit beleefdheid, en shit, nu staan we opeens als eersten op haar feestje. Ze stelt ons voor aan Pet en Parka maar ik vergeet hun namen meteen weer, want er is iets. De jongens kijken naar Louis en wisselen een blik die ik niet plaatsen kan, waarop Louis vraagt: 'Storen we, misschien?'

'Nee, joh,' zegt Sigrid, en dan doet ze iets wat ik haar nog lang kwalijk zal nemen: ze geeft antwoord. En wel naar waarheid. 'We hadden het over Soros,' zegt ze, en ik hoor dat ze haar best doet zo luchtig mogelijk te klinken: och, ze hadden het slechts over Soros, George Soros, de rijkste Jood ter wereld, en daarmee de meest gehate Jood ter wereld, o ja, dat ook.

Plots kijkt iedereen naar Louis: Kyo, Sigrid, Pet, Parka

en zelfs ik, al slaat dat natuurlijk helemaal nergens op. Maar Louis blijft rustig, grijnst alleen maar. 'Ah,' zegt hij, 'Soros, onze oude filantroop. Als het aan hem lag stonden we hier tot onze enkels in de rioolgeulen uit vluchtelingenkampen, toch?'

Ik proef sarcasme maar Pet en Parka stoten elkaar aan, vinden het een enorme stunt blijkbaar: de enige Jood die ze kennen valt de bekendste Jood ter wereld aan.

'Nou, zo is het wel,' zegt Kyo. En hij klinkt streng want hij kent Louis, weet dat het hem niet menens is. 'Als die man zo doorgaat nemen ze de hele boel hier over,' zegt Kyo, 'en niemand grijpt in.'

'Een ramp,' zegt Louis en nu pikken zelfs de middelmatig afgestelde antennes van Pet en Parka zijn spot op.

'Ik zou niet zo schamperen,' zegt Pet.

'Zeg me niet dat je niet weet wat Soros aan het doen is,' doet Parka.

'Ik weet wat Soros aan het doen is,' zegt Louis, en bij de woorden 'aan het doen' maakt hij aanhalingstekens in de lucht. 'Ik werk hier al wat langer dan jullie, meiden.' Hij wil zich al omdraaien maar dan zegt Pet plotseling: 'Dat huilverhaal over zijn grootouders is niet waar, weet je,' en Pet knikt: 'Die hele Holocaust heeft waarschijnlijk nooit plaatsgevonden.'

Louis blijft staan. Hij kijkt de jongens aan of die zojuist een kiezel in zijn kraag hebben gegooid, eerder ongelovig dan boos. 'Hou toch op, man,' zegt hij dan. 'Ik had jullie intelligenter ingeschat,' en opnieuw wil Louis weglopen maar Parka houdt vol: 'Het is toch zo? Zo machtig is Soros, wie denk je dat de grootste leugen uit de geschiedenis bekostigt?'

De grootste leugen uit de geschiedenis, die slogan ken ik. Zo beginnen de filmpjes waarin stap voor stap wordt 'uitgelegd' dat er nauwelijks bewijzen zijn voor het bestaan van gaskamers ten tijde van de Tweede Wereldoorlog. Dat Joden in strafkampen uitsluitend aan besmettelijke ziekten stierven, ziektes die werden bestreden met Zyklon B, het gas dat later op hun kleding werd aangetroffen: 'een volkomen onschuldig pesticide'. Zulke video's mogen we alleen verwijderen wanneer ze online gezet zijn in landen waar Holocaustontkenning een strafbaar feit is, en míts plaatselijke instanties actief werk maken van vervolging: *Duitsland, Frankrijk, Israël, en een raar land als Australië,* som ik in gedachten op, terwijl er vlak voor me, op klaarlichte dag, een vrij fatale botsing staat plaats te vinden.

'Er zijn hooguit vierhonderdduizend Joden gestorven in de Tweede Wereldoorlog,' dendert Parka verder en Pet probeert hem in te halen: 'Tegenover twintig miljoen Russische soldaten,' zegt die, waarop Parka nog eens flink op het gaspedaal trapt: 'Wel eens gehoord van het Haavara-pact? De nazi's en de Joden werkten samen om de annexatie van Israël te rechtvaardigen.'

Louis is al die tijd opvallend stil. Hij kucht opzichtig en knikt dan naar Kyo: 'Hé, geloof jij dat ook?' Kyo kijkt naar mij en dan naar Sigrid en naar zijn eigen handen. Naar Louis kijkt hij niet wanneer hij zegt: 'Die gaskamers zijn in elk geval niet héél geloofwaardig.'

'O nee?' vraagt Louis, en hij klinkt eerder smekend dan boos. Ik denk aan hoe hij eerder deze pauze naar mij zwaaide en plotseling begrijp ik wat er voor hem op het spel staat. 'En dat ze de lievelingsoom van mijn opa verdelgd hebben, is dat ook niet heel geloofwaardig?'

Parka en Pet stoten elkaar aan nu: 'de lievelingsoom van mijn opa', dat vinden ze grappig omdat het zo gay klinkt – Louis hoort hen vast gniffelen maar hij kijkt alleen naar Kyo, degene die hij het meeste liefheeft en daarmee degene die het grootste verraad pleegt.

Kyo kijkt nog altijd naar zijn handen. 'Ik weet niet.' En dan, plotseling, grijnst Louis weer. Hij knikt kort.

En rijdt dan recht op Kyo in: 'Wat sta je die fascisten nou af te rukken man, wat is dat voor minderwaardigheidscomplex dat je godverdomme Ku Klux-vriendjes gaat lopen maken? Jij bent verdomme zelf een halve paki! Jezus christus, Kyo, wie had dat gedacht, je ziet er niet alleen uit als een vet varken, je hebt ook het brein van een slachtbig, hé, weten je nieuwe neukvriendjes al dat de aarde plat is?'

'Op zich...' monkelt Parka, maar Louis hoort hem niet: 'Hé, kleine flikker, waar is je nieuwe sieraad dan?'

Ik merk nu pas dat Kyo zijn flat earth-horloge niet meer draagt. Zelf staat hij daar maar, hij schudt zijn hoofd alsof hij niet weet wat te doen: zijn reputatie redden bij Pet en Parka of Louis op zijn bek slaan, en dan, dan komt Sigrid tussenbeide. 'Kom op, jongens!' zegt ze. 'Zo kan-ie wel weer, hè?' God, ik word helemaal slap van vertedering. Want dat is mijn meisje, dat is mijn Sigrid; na haar valse start lijkt zij nu degene die de strijd beslist. 'Ja, jongens,' knik ik, 'zo kan-ie echt wel weer!'

Even lijkt het daarmee goed, de jongens kijken elkaar al aan: is het nu dan tijd om als broeders op ruggen te slaan? Maar dan opent Sigrid plots toch weer haar mond. 'Er is voor beide partijen iets te zeggen,' stelt ze plechtig, en ik kijk naar haar.

Daar staat Sigrid, haar handen in de zakken van haar net te frisse zomerpantalon, haar haren in een hoge paardenstaart. Pakte ik haar nu vast dan rook ik sigaretten en het appelachtige aroma van haar favoriete luchtje: een geur die ik niet lekker vind maar die me toch opwindt, ja, daar staat mijn vriendin, dat is Sigrid, ik weet hoe ze eruitziet als ze klaarkomt, kan de striae op haar billen uittekenen, weet hoe de huisdieren uit haar kindertijd heetten, ken haar favoriete plek in de bus en haar ideale slaappositie. Ik heb haar horen huilen en zien overgeven, ze laat me in de badkamer wanneer ze zich opmaakt of op de wc zit, ik weet dat ze een opgemaakt bed onsexy vindt en ik ken de blik die verraadt dat ze het ergens eigenlijk niet mee eens is. Ze heeft me zelfs verteld wat haar 's nachts wakker houdt, en daardoor denk ik haar te kennen, maar misschien heb ik het mis, misschien ken ik haar helemaal niet. Dat idee maakt me onrustig, ik moet het controleren, *ik moet het testen* – misschien is dat het, de gedachte die maakt dat ik doe wat ik doe, vraag wat ik vraag: 'Wat zeg je nu?'

'Ik zeg alleen...' begint Sigrid maar het is al te laat, ik hoef het al niet meer te horen. En ik voel dat het misgaat, wéét dat ik mijn mond moet houden – in gedachten bied ik zelfs alvast mijn excuses aan omdat ik weer eens door Sigrid heen praat maar ik kan niet anders, ik voel me een gans, door een slangetje gedwangvoederd met stupiditeiten, ja, ik ben zo volgepropt met domheid dat er iets uit moet, een flinke, onbedwingbare boer: 'Alleen volslagen *idioten* geloven dat de Holocaust niet bestaat!'

Zelfs Louis kijkt verschrikt nu. Niet naar mij, maar naar Sigrid: hoe gaat die reageren op zo'n schoffering, nota bene door haar eigen vriendin? Dan beginnen de jongens met z'n allen door elkaar te kakelen: Pet overstemt Parka en Louis roept van alles tegen Kyo, het is onmogelijk dat ze elkaar verstaan, argumenten lossen op in de kakofonie aan gerichte verwijten en willekeurige beledigingen, het is bijna alsof de jongens het expres doen, alsof ze mij willen helpen door een muur van geluid op te trekken die mij van Sigrid moet scheiden, ons moet beschermen tegen het onvermijdelijke.

'Fuck you,' gromt Sigrid. En ze komt naast me staan en fluistert in mijn oor, op een manier die ze vast ooit in een film heeft gezien: 'Het is klaar tussen ons, Kayleigh.'

Sigrid loopt weg en de jongens vallen stil. In mijn herinnering kijken we haar met z'n vijven na, ja, in gedachten zie ik ons daar zo staan: ik voorop, Louis en Kyo links en rechts van me als lijfwachten, Pet en Parka staan recht achter me zodat ik niet kan vallen, niet kan bezwijken onder mijn verlies.

Ik zal Sigrid de rest van de dag niet meer spreken of zien. Ze moet haar telefoon uit haar kluisje hebben gehaald en meteen naar de bushalte zijn gegaan, drie uur voor het einde van haar dienst. Ik zal haar bellen maar zij zal niet opnemen, die avond niet, de volgende dag ook niet; ik schrik als ik ontdek dat ze haar diensten voor dat weekend heeft afgezegd.

Goed, ik had Sigrid beledigd, dat wist ik. En ik had haar niet zomaar beledigd, ik had haar *ondermijnd* waar anderen bij waren – daar kon ze niet tegen, eerlijk zat. Ik kon bepaald niet ontkennen dat ik stom geweest was, maar haar reactie leek me, hoe moet ik het zeggen, nogal buitenproportioneel. Het voelde bijna of Sigrid me had uitgedaagd: zíj was begonnen over Soros, en ze wíst dat ik niet geloof in al dat hoaxgedoe. Daarbij was de hele confrontatie met Kyo min of meer langs de lijnen van onze eerdere flat earth-discussie verlopen, Sigrid had kunnen weten hoe het zou eindigen – of was het haar daar juist om te doen geweest? Misschien was het een test, dacht ik de dagen daarna. Misschien was ik in een val gelopen; misschien wilde Sigrid weten of ik me dit keer zou kunnen inhouden. Nou, niet dus, dat wist ze nu, maar daar hoefde ze haar werk toch niet voor af te zeggen – dus wat was dit, wát zag ik hier niet?

Misschien was het Kyo, dacht ik. Het was wel duidelijk dat hij Sigrid leuk vond, zijn aanbidding moest haar gevleid hebben, misschien wilde ze hem niet kwetsen. Ja, misschien vond ze het vervelend dat ze zijn gevoelens niet kon beantwoorden en verleidde haar schuldgevoel haar tot twee keer toe om heel vreemde dingen te zeggen – maar waarom was ze dan zo boos op mij geworden? Haar reactie op onze aanvaring leek op geen enkele manier te rechtvaardigen, ik moest van Souhaim horen dat ze late avonddiensten was gaan draaien – mijn god, late avonddiensten, voor iemand met háár slaapproblemen?

Meneer Stitic, het was waanzin. En voor ik verder ga wil ik u vragen wat u gedaan zou hebben. Wat zou u doen als de vrouw van wie u houdt u vanaf morgen straal negeert? Niet omdat u bent vreemdgegaan of omdat u haar kat uit het raam duwde, nee, eigenlijk is er niets aan de hand; gister nog maakte uw geliefde aubergine uit de oven voor u en vandaag heeft u haar tegengesproken op een feestje, dat is alles, en u zou dolgraag uw excuses aanbieden maar u krijgt de kans niet want uw geliefde verdwijnt, poef, uit uw leven. Er liggen nog kledingstukken van haar op de stoel in uw slaapkamer, aan uw kapstok hangen een jas en een sjaal. Er staat nog water in de pan van het ei dat uw geliefde vanochtend kookte, ze heeft uw telefoonlader per ongeluk meegenomen. Dus u belt. U stuurt een bericht om te vragen wat er aan de hand is. En daarna stuurt u nog een bericht, en daarna, geef toe, daarna nog een, al was het alleen om uw lader terug te vragen. Misschien belt u tegen die tijd ook weer even. Misschien belt u nog wel een paar keer en de volgende dag weer, ja toch? En waarschijnlijk gaat u bij één en misschien wel meer gezamenlijke vrienden te rade of zij uw geliefde soms hebben gezien – geef toe, dat zou u allemaal doen, toch? Maar wat als het niets oplevert? Wat als er negen dagen verstrijken waarin uw geliefde elke vorm van contact weigert? U voelt zich schuldig, u wilt zeggen dat het u spijt, net zo goed bent u gefrustreerd, u bent boos en o, u maakt zich zorgen, dat ook. Dit gedrag is immers niets voor uw geliefde, misschien praat er iemand op haar in. Of misschien is uw geliefde, oneerbiedig gezegd, gek, misschien is ze bezweken onder slaapgebrek en stress, wie weet loopt ze nu schreeuwend over straat, hoort ze stemmen in haar hoofd. Hoe dan ook, u wilt haar helpen, maar daarvoor moet u wel eerst weten wat er aan de hand is. Dus, meneer Stitic, wat had u gedaan in deze situatie?

Ik wed: hetzelfde als ik. Net als ik zou u uw geliefde hebben opgewacht op de parkeerplaats van haar werk, is het niet?

Ik probeerde het op zondagavond. Sigrid was die dag weer niet komen opdagen en ik vermoedde dat ze een avonddienst had, ze leek een lijntje te hebben met de roostermakers: wanneer ik niet werkte, lieten ze haar komen. Ik vertrok die middag als een van de laatsten. Buiten ging ik op ons muurtje zitten, deels uit gewoonte maar ook omdat ik vanaf hier goed zicht had op wie er naar binnen gingen. De eerste collega's van de avonddienst liepen ver uit elkaar over de parkeerplaats, zij waren met de auto gekomen. Rond halfzeven arriveerde de eerste bus, een groepje mensen dat in een kluitje naar de deur bewoog, kijk, daar liep Souhaim: ik ging meteen rechtop zitten maar herkende verder niemand.

De avondploeg kreeg niet méér betaald dan wij van de dagdienst. Het waren mensen die overdag een andere baan hadden, of mensen zoals Souhaim, die het niet uitmaakte wanneer ze werden ingeroosterd, misschien omdat ze 's nachts toch niet konden slapen. Het begon te schemeren en ik ritste mijn jas dicht, geparkeerde auto's verloren hun vorm aan het donker.

Het was een vervreemdend uitzicht, de vertrouwde parkeerplaats plots verduisterd, onbekende gezichten die míjn vaste route liepen, een parallelle wereld; had dit alternatief universum Sigrid opgeslokt? Er werkten meer vrouwen 's avonds. Ik zag ze bellend voorbijlopen, soms met meerdere tassen aan één pols, ik stelde me voor hoe die tassen striemen maakten en plots dacht ik dat ik Sigrid zag, een ranke verschijning in een leren jas. Ze liep snel, ik wist niet zeker of zij het was. Mijn twijfel maakte dat ik de rest van de avond zou blijven.

Het werd acht uur, negen uur, ik maakte rondjes om het gebouw maar durfde niet te ver te lopen. Wat als Sigrid in de pauze naar buiten kwam, wat als een van die oplichtende sigarettenpuntjes bij háár hoorde? Ik deed wat spelletjes op mijn telefoon, werkte blokjes weg en schoot ballonnetjes kapot. Ik ging vóór het muurtje zitten, in plaats van erop, zodat ik wat steun in mijn rug had. Ik maakte jumping jacks tegen de kou en al die tijd hield ik de ramen van de vierde verdieping in de gaten. Soms zag ik een silhouet, was zij dat? Nee, besloot ik dan, mijn Sigrid was slanker, langer, haar schouders waren breder, en ergens was ik trots dat ik die bedriegers er dit keer zo uit pikte, alsof het iets zei over hoeveel ik om Sigrid gaf en daarmee rechtvaardigde wat ik aan het doen was.

Rond halftwee 's nachts kwamen de eerste medewerkers het gebouw uit. Ik ging weinig subtiel naast de schuifdeuren staan, in het hallicht kon ik de gezichten beter zien. Toen Souhaim naar buiten liep schrok ik en ik keek naar de grond, hopend dat hij me niet zou herkennen. Een voor een schuifelden onze avondcollega's de parkeerplaats op, niemand praatte met elkaar, bij de vrouw in het leren jack ging mijn hartslag omhoog, ook al zag ik vrijwel meteen dat het Sigrid niet was. Na een kwartier of drie kwam er niemand meer naar buiten en sijpelde de adrenaline mijn lijf uit. Ze was er niet. Maar, dacht ik, misschien zou ze er morgen zijn: zelf was ik dan immers vrij, als Sigrid me inderdaad actief meed dan had zíj zich natuurlijk laten inroosteren.

Ik rekende uit dat het nog vijf uur zou duren voor de eerste ochtendploeg arriveerde. Het gebouw was nog open, misschien kon ik in het opslaghok slapen als ik wat onderdelen opzijschoof. Ik zou zo naar binnen kunnen glippen, hop, de trap op, maar voor ik kon beslissen kwam een bewaker de schuifdeuren op slot draaien met een minuscuul sleuteltje als dat van een dagboekslot. Daar stond ik, alleen op de pikdonkere parkeerplaats. Verkleumd liep ik naar ons muurtje, paste ik daar achter? Ik ging liggen, voelde de ruwe tegels door mijn jas heen en trok één been omhoog; zo lag ik in bed ook. De grond van de parkeerplaats was koud en hard maar het muurtje bood beschutting, waar ik lag leek het windstil en het duister kalmeerde me; ik heb altijd gevonden dat het donker beschermt: de monsters opslokt in plaats van herbergt. Ik sloot mijn ogen en stelde me voor dat ik hier zou blijven liggen tot de zon opkwam. Het had gekund, dacht ik toen ik in de taxi naar huis zat.

De volgende dag positioneerde ik me om halfzes 's middags opnieuw bij het muurtje. Ik ging ervóór zitten, zoals ik 's nachts ook had gedaan, en dit keer was ik voorbereid, ik had bananen bij me en een sjaal die nog van mijn moeder geweest was – overbodige luxe, want om halfzeven kwam Sigrid al naar buiten. Mijn borstspier trok samen zodra ik haar zag. Ze had dus écht diensten gewisseld om mij te ontwijken.

Ik liep naar haar toe en zag dat ze schrok. 'Shit,' zei ze hardop, en ze bleef staan, midden op de parkeerplaats.

Ik stak een hand op en even stonden we zwijgend tegenover elkaar. Sigrid knikte naar de kantoorflat, als een dealer die uit het zicht van de politie wil blijven, en begon die kant op te lopen.

'Waar ben je mee bezig?' vroeg ze. We stonden nu tegen het gebouw aan, niet ver van de plek waar ik die nacht ervoor bij de deur had staan posten.

'Waarom ben je zo boos?' vroeg ik.

'Omdat dit nogal intimiderend is,' zei Sigrid, en ze keek om zich heen alsof ze me een klein envelopje in de hand ging drukken. 'Je stalkt me, belt me dertig keer per dag,' siste ze, en haar antwoord verwarde me. 'Dat bedoel ik niet,' zei ik. 'Ik bedoelde: waarom ontloop je me?'

'O,' zei Sigrid, en ze knikte geestdriftig: 'Dus je geeft gewoon toe dat je me stalkt? Souhaim zei al dat je hier gisteravond ook stond.'

'Klopt, ik zocht je, ik wil met je praten.'

'Dan had je toch gewoon een afspraak met me kunnen maken?'

'Maar je negeert mijn berichten.'

'Weet je niet.'

'Wat?'

'Je weet niet of ik je dan genegeerd had.'

Sigrid deed onmogelijk, meneer Stitic. En het maakte me niet boos, het maakte me bang, want Sigrid, mijn mooie, invoelende Sigrid, stond daar maar, haar armen over elkaar; de hele situatie deed me vaag denken aan vroeger, de keren dat Kitty en Shanice mijn tas of skateboard weer eens hadden afgepakt en ik kwam aanzetten met een leraar: 'Tsss, ze had hem toch gewoon zelf kunnen terugvragen?' – in die tijd deed mijn onmacht een onstuimig soort woede oplaaien die maakte dat ik de rozenkwarts aan Kitty's ketting het liefst door haar strot zou proppen maar nu Sigrid net zulke onredelijke taal uitsloeg raakte ik vooral in paniek. Even, heel even, vermoedde ik dat ik in een val was gelopen. Dat mijn hele relatie met Sigrid een grap geweest was, onderdeel van een weddenschap met de jongens misschien, afgesloten die keer dat ze mij voor het eerst richting het muurtje zagen lopen: kijken of we haar kunnen wijsmaken dat ze mooi is.

Sigrid liet haar armen zakken. 'Oké,' zei ze op een toon die ik niet kon plaatsen, klonk ze nou licht uitdagend? 'Zeg maar wat je wilde zeggen, dan.'

'Het spijt me,' zei ik vlug.

'Wat spijt je precies?' vroeg Sigrid, en ergens vond ik dat een vreemde vraag, al handelde ik daar niet naar; zoals wanneer je merkt dat die garnaal een rare bijsmaak heeft op het moment dat je al bezig bent het ding door te slikken, zo zei ik: 'Het spijt me dat ik zo fel reageerde toen jij die dingen over de Holocaust suggereerde.' Ik probeerde zo diplomatiek mogelijk te klinken maar bij 'Holocaust' begon Sigrid haar hoofd te schudden. 'Je begrijpt het niet, hè?' zei ze. 'Je begrijpt het gewoon écht niet.'

Wat Sigrid daarna zei overviel me. Of nee, laat ik eerlijk zijn, het verpletterde me. Ze moet hebben gemerkt dat ik op zijn zachtst gezegd schrok, en een paar dagen later zou ze me een mail sturen waarin ze een en ander nog eens uitlegde; om me een trap na te geven of om me te helpen haar te begrijpen, ik weet het niet, ik heb haar bericht meteen verwijderd, het vakje delete aangevinkt met de bezieling van iemand die een menstruatievlek uit haar broek probeert te wrijven. En als ik aan ons laatste gesprek denk, daar, naast de ingang van onze vertrouwde werkplek, dan kan ik niet zeggen waar de herinneringen aan die conversatie mijn herinneringen aan die e-mail overlappen, kruisen of inhalen – goed, ik draai eromheen nu. Wat Sigrid beweerde was dit.

Ze wilde niet in alles hetzelfde als ik. Ze had dat ook aangegeven. Ik luisterde niet. Ik bleef haar grenzen overschrijden. Gedroeg me hopeloos wantrouwig, bovendien. Ja, ik had haar bang gemaakt. Wist zij veel hoe ze bij me weg moest.

Je was zo dominant, je wist het allemaal zo goed, weet je.

Pete maakte zich gewoon zorgen om me, als ik over jou vertelde.

Ik zei toch: ik wil even geen seks? Dan ging je aan jezelf zitten waar ik gewoon bij lag.

Kijk dan, Kayleigh, kijk dan even naar het scherm!

'Secundair trauma veroorzaakt door langdurige blootstelling aan schokkende beelden kan leiden tot depressie, angstproblematiek en paranoïde gedachten', zo staat het in uw persbericht, is het niet? Ik geloof best dat het waar is, maar als ik denk aan mij en Sigrid weet ik niet wie van ons nou met die paranoïde gedachten zat, al zou ik zeggen dat ík van bijzonder goeder trouw was toen ik haar op een donderdagmiddag haar telefoon in de linker stellingkast van het rommelhok liet neerzetten.

'Dat was een goed idee, zeg,' zei ik achteraf nog.

Ik vind dat niet bepaald *wantrouwend* van mezelf, u wel? Ik vind het eerder vreselijk naïef, want toen we die laatste keer samen voor de kantoorflat stonden, haalde Sigrid dus haar telefoon uit haar zak.

'Kijk dan, Kayleigh, kijk dan even naar het scherm!'

'Wat is dat?'

'Dit zijn wij.'

Ik keek, maar het kostte me moeite om de vage gestaltes in het spiegelende telefoonscherm van elkaar te onderscheiden. Sigrid klikte het volume omhoog en vergrootte het beeld met duim en wijsvinger.

'Vertel me wat je ziet.'

'Wat jij zei: ik zie jou en mij.'

'En vind jij dit normaal?'

'Ik zie niets geks.'

'O nee? Luister dan naar wat ik zeg.'

Sigrid duwde de telefoon tegen mijn oor.

'Hou op, ik versta het niet.'

'Jezus, Kayleigh.'

Sigrid liet haar telefoon zakken en startte het filmpje opnieuw.

'Stel, dit is een ticket. Dit komt voorbij tijdens je werk, dus wat doe je: laten staan of verwijderen?'

'Hou op, zeg.'

'Nee, ik meen het: dit is een ticket, wat zie je?'

'Ik zie niets.'

'Zeg het.'

'Seksuele content,' zei ik zacht. 'Geen vrouwelijke areola, geen genitaliën: laten staan dus.'

'O ja? En dit dan?'

Sigrid wees naar iets op het scherm nu.

'Erotische asfyxiatie, geen zichtbare blauwe plekken of verwondingen achterlatend, dus: laten staan.'

'En dwang, dan?'

'Geen sprake van dwang, kortom: laten staan.'

'Kom op, Kayleigh, luister dan naar wat ik hier zeg, luister dan!'

Sigrid wilde haar koude apparaat weer tegen mijn oor drukken maar net op dat moment kwamen Souhaim en Louis naar buiten gewandeld. Ik vermoed dat ze eerder vlak achter Sigrid hadden gelopen maar zich in de hal van de kantoorflat hadden verscholen zodra ze zagen dat ik op haar afkwam; uit bezorgdheid of sensatiebelustheid – het laatste, hoop ik nog altijd.

'Gaat alles goed hier?' vroeg Souhaim. Ik verwachtte dat Sigrid haar telefoon zou laten zakken maar dat deed ze niet. In plaats daarvan gaf ze het toestel aan Louis: 'Als dit een ticket was,' zei ze, 'zouden jullie dit filmpje dan laten staan?'

Souhaim en Louis bogen zich peinzend over het scherm. 'Wat zegt die linker nou?' vroeg Souhaim. 'Ik zie dat ze nee schudt, maar wat zégt ze?' en hij wilde de telefoon al naar zijn oor brengen maar Louis greep zijn arm: 'What the fuck, jongens. Dat zijn jullie!'

Ik had me toen al omgedraaid. Voor de laatste keer liep ik over de parkeerplaats, ik trok de capuchon van mijn vest op en deed of ik Sigrids geroep niet horen kon.

De dagen na die laatste avond op de parkeerplaats schaamde ik me zo dat ik mezelf soms zomaar in het gezicht sloeg. Ik keek naar een film over autocoureurs in de knel, mijn gedachten dwaalden af naar wat er gebeurd was en pats! een rode plek op mijn wang. Of ik ging een keer porno kijken, sukkel die ik was: pats! pats! pats! bij zo'n beetje alles wat voorbijkwam. Een paar keer zette ik de wekker maar het voornemen om toch weer naar Hexa te gaan maakte ik nooit waar.

Sigrid heb ik nooit meer gesproken of gezien en Souhaim, Robert, Louis en Kyo ook niet. Toch heb ik nog een hele tijd gehoopt dat het goed zou komen. Dat Sigrid en ik elkaar nog eens zouden zien, vrienden zouden kunnen worden en wie weet weer meer.

Ik had zelfs een heel plan bedacht, meneer Stitic.

No Mona Lisa, Morgan Freeman, chocola.

Het huis van Nona's ouders was vier uur rijden in de oude Buick van tante Meredith (die ik overigens had verteld wat voor werk ik de afgelopen maanden had gedaan, al had ik gelogen over waarom ik was gestopt; ik kon het niet meer aan, zei ik, en zonder verder te vragen leende ze me haar auto voor een lang weekend aan het strand, 'even mijn hoofd leegmaken' – ja, ja).

Het was een vrijstaand huis op een stuk land net buiten een middelgrote stad, Nona moest een jeugd vol kikkervisjes vangen en ponyrijden hebben gehad. Ik reed de woning een stukje voorbij om mijn auto verderop langs de weg te zetten, stelde me voor dat Nona op vrijdagavonden de bus naar het centrum nam en vroeg me af of ze gecharmeerd geweest was van de mierzoete ananascocktails en glibberige jongenstongen die ze daar ongetwijfeld aangetroffen had.

Het was een doordeweekse dag eind september, zes uur 's avonds; ik ging ervan uit dat Nona's ouders thuis waren. In de auto had ik geoefend op wat ik ging zeggen. Ik was een vriend van iemand die een van Nona's laatste livevideo's had gezien (niet als moderator natuurlijk, gewoon, als normaal mens). Mijn goede vriendin wist niet wat te doen toen ze Nona zo bezig zag, ze had niet ingegrepen en nu kon ze niet meer slapen; hadden zij misschien een boodschap voor haar, bijvoorbeeld dat het háár schuld niet was? Misschien vonden ze mijn vraag ongepast. In het ergste geval zouden Nona's ouders me wegsturen, maar in het beste geval, zouden ze 'mijn goede vriendin' vergiffenis schenken, gratie die ik boven een kop cappuccino zou overhevelen terwijl ik haar hand vasthield, misschien wel in de vorm van een briefje, door beide ouders ondertekend. En mocht Sigrid haar hand terugtrekken, dan zou ze mijn gebaar in elk geval op waarde weten te schatten, ze zou inzien hoe nobel mijn streven was.

Het ganglicht brandde, ik belde aan maar er gebeurde niets. Ik belde nog een keer: geen gestommel, geen verbaasd gemompel. Ik stapte de voortuin in om door het huiskamerraam te kunnen kijken: de beige gordijnen waren gesloten en het licht daarbinnen leek van één flauwe bron te komen, een bureaulampje tegen inbrekers, vermoedde ik. Ik liep om het huis heen, het gazon leek slecht onderhouden, misschien waren Nona's ouders op vakantie. Of misschien rouwden ze liever bij familie, verdroegen ze hun eigen omgeving niet, o, ik begreep het al:

ze zagen Nona natuurlijk nog zitten wanneer ze naar die schommelstoel in de achtertuin keken, hoorden haar lachen wanneer ze in de serre zaten – hé, dacht ik, zou dat haar slaapkamerraam zijn?

Zowel de voordeur als de deur naar de serre was gesloten. Maar er was nóg een deur, rechts in het gebouw, groene aanslag, vermolmd hout, ik wrikte wat aan de klink en trapte tegen het onderschot en de deur schoot zowaar open met een piepend gekraak dat, als de deur geen deur geweest was, net zo goed verbazing als verontwaardiging had kunnen uitdrukken.

Plots stond ik in een kleine bijruimte die naar een keuken met een ontbijtbar vol zilveren kandelaars leidde. Ik kende die dingen, ze waren gekocht bij die online meubelwinkel waarvoor ik ooit de telefoon aannam en ik wist dat ze duurder oogden dan ze waren.

Aan de muur langs de trap naar boven hingen ingelijste foto's. Nona als baby op een stijlvolle houten commode, kleuter Nona kirrend in de branding, een wat oudere Nona die een kameel beklimt. Het waren mooie foto's, goed belicht maar geen van alle geposeerd; misschien hadden haar ouders een sterk gevoel voor fotografische timing, of misschien was Nona een meisje dat wist wanneer ze weg moest kijken om zichzelf te lijken. Hoe verder ik de trap op liep, hoe minder lijstjes, blijkbaar hadden de bewoners wat plek vrijgehouden voor foto's van Nona die nog niet waren genomen, en met de wetenschap dat die foto's er ook niet meer zouden komen kregen die witte stukken muur plots iets plechtigs, het visueel equivalent van een paar minuten stilte; ik durfde bijna niet te hijgen toen ik erlangs klom.

Boven waren vier deuren. De eerste deur die ik opende kwam uit op een badkamer, de tweede leidde naar Nona's slaapkamer. Ik klikte het licht aan. Op Nona's bed lagen geen bloemen of kaartjes, sterker nog, het helblauwe dekbed was slordig opengeslagen; blijkbaar conserveerden haar ouders deze kamer precies zoals ze hem die ene verschrikkelijke dag hadden aangetroffen. Ik liep naar het bureau dat rechts tegen de muur stond. Nona had er foto's op gezet, haar lijstjes een stuk uitbundiger dan die van haar ouders: een lila frame dat op een ouderwetse schilderijlijst moest lijken, twee lijstjes van roze nepbont en eentje met vlinderreliëf omkaderden foto's van Nona met vrienden, ik zag uitgestoken tongen en rood aangelopen meisjeswangen en een foto waarop Nona, een stuk magerder dan op andere foto's, in haar eentje poseerde voor het kasteel van een pretpark. Ik pakte het lijstje, dat met de vlinders, en hield de foto vlak voor mijn gezicht. En wat zag ik dan allemaal?

Nona lachte met haar lippen op elkaar, heel anders dan op de foto's in het trapgat. Haar wat volwassen pose contrasteerde met de vrolijke achtergrond, de roze minaretten die haast uit haar achterhoofd leken te komen. Ze droeg een rokje en een strak shirt dat een platte buik vrijliet. Zaten er krassen op haar armen, waren haar knieën niet verontrustend knokig? Ik liep naar het raam om de foto bij daglicht te kunnen bekijken; de kwaliteit was niet heel hoog, hij moest zijn genomen met een telefoon en daarna zijn uitvergroot, hier en daar ontwaarde ik wat pixels.

Beneden rinkelde een sleutelbos. Gestommel in de gang, de vermoeide stem van een vrouw, de geruststellende woorden van een man en opeens zag ik mezelf staan, als in de groezelige beelden van een beveiligingscamera. Kijk, daar stond ik, in Nona's slaapkamer bij het raam, haar afbeelding, haar ingevallen wangen en bleke tienerpolsen vlak bij mijn gezicht en ik weet nog dat ik dacht: waar ben ik eigenlijk mee bezig, in godsnaam?

Bronnen en verantwoording

Deze novelle is fictie, de personages en hun belevenissen zijn verzonnen. Overeenkomsten met de werkelijkheid zijn echter geen toeval. Bij mijn research naar de werkomstandigheden van commerciële contentmoderatoren wereldwijd maakte ik zeer dankbaar gebruik van onder meer onderstaande boeken, studies, documentaires en artikelen, die ik iedereen die meer over dit onderwerp wil weten aanbeveel.

The Cleaners, Hans Block, Moritz Riesewieck (regie) (2018, gebrueder beetz filmproduktion, e.a.)

The Moderators, Ciaran Cassidy, Adrian Chen (regie) (2017, Field of Vision)

De achterkant van Facebook, 8 maanden in de hel, Sjarrel de Charon (2019, Prometheus)

'The Laborers Who Keep Dick Pics and Beheadings Out of Your Facebook Feed', Adrian Chen (2014, *Wired*)

'Content Moderator Sues Facebook, Says Job Gave Her PTSD', Joseph Cox (2018, *Vice Motherboard*)

'De hel achter de façade van Facebook', Maartje Duin, Tom Kreling, Huib Modderkolk (2018, *de Volkskrant*)

'Bestiality, Stabbings, and Child Porn: Why Facebook Moderators Are Suing the Company for Trauma', David Gilbert (2019, *Vice News*)

Custodians of the Internet: Platforms, Content Moderation, and the Hidden Decisions that Shape Social Media, Tarleton Gillespie (2018, Yale University Press)

'Revealed: catastrophic effects of working as a Facebook moderator', Alex Hern (2019, *The Guardian*)

'Facebook files', Nick Hopkins, Olivia Solon, e.a. (2017, *The Guardian*)

'The Trauma Floor, The secret lives of Facebook moderators in America', Casey Newton (2019, *The Verge*)

'The Terror Queue, These moderators help keep Google and YouTube free of violent extremism – and now some of them have PTSD', Casey Newton (2019, *The Verge*)

Behind the Screen, Content Moderation in the Shadows of Social Media, Sarah T. Roberts (2019, Yale University Press)

LEKKER LEZEN DOE JE IN DE TREIN

Reizen met de trein is tijd voor jezelf. Tijd om te verdwijnen in een goed boek bijvoorbeeld. Iedereen die tijdens zijn treinreis weleens een boek leest, is wat NS betreft een echte #treinlezer.

En als echte #treinlezer houdt NS je graag op de hoogte van alles wat met treinreizen en lezen te maken heeft:
• Ontdek **ns.nl/treinlezer** voor leuke toplijstjes en winacties.
• Laat je inspireren en schrijf je in voor de NS leesnieuwsbrief.
• Volg de NS Leesclub op Facebook met leestips en boekdiscussies.

Speciaal voor jou
NS ondersteunt jaarlijks drie leescampagnes van Stichting Collectieve Propaganda van het Nederlandse Boek (CPNB): de Boekenweek, de Kinderboekenweek en de NS Publieksprijs. Dit jaar is NS al 20 jaar hoofdsponsor van de Boekenweek. Om dat te vieren hebben we een extraatje voor je.

Scan de QR-code of ga naar **www.ns.nl/boekenweek**.